「新鮮！こんなの初めて！」
NYのおもてなしレシピ

ひでこ・コルトン

講談社

# はじめに

はじめまして！　料理家のひでこ・コルトンと申します。
アメリカ・NY(ニューヨーク)で日本人女性向けの料理教室
「NY＊おもてなし料理教室」を主宰しています。

何しろNYは、ブロードウェイにメトロポリタンオペラハウス、
名だたる美術館がそろう場所。
日常生活の中にエンターテインメントが溶け込んでいるんですね。
そのため、"人を喜ばせる"ことにかけては、超一流！
たとえホームパーティーだって、ゲストを喜ばせるために、
ホストは知恵をしぼり、さまざまな工夫をこらします。

だからこそ、パーティーの主役である料理にも
エンターテインメントのスパイスを加えます。
おいしいことが大前提ですが、
ゲストが「初めて食べる味だわ！」と驚き、喜ぶよう、
一つの料理の中にさまざまな味を複雑にからませたり、
途中で違う食感を楽しめるようにしたり……
たとえ食べなれた料理でも、盛りつけやソースを変えて
"新たな料理"に生まれ変わらせます。
こうしてゲストを飽きさせないようにするんです。

本書でご紹介している料理は日本の皆さまにとっては、
"ちょっと変わったパーティー料理"かもしれません。
でもありふれていないからこそ、
必ずやゲストの皆さまを喜ばせることができるはず!
それに、
「これを食べたらみんな、どんな顔をするかな?」
そんなふうに思いながらパーティー料理を作るのは、
実にワクワクすることだと思いませんか? また、外国の料理の本には
「この材料、日本で売っていない」というものもよく見かけますが、
本書は日本のスーパーマーケットで買った材料のみで作っています。
だからその点は心配せずに作っていただけると思います。
でも、味はしっかりNYテイスト!

NYならではのおもてなしの世界を、
この本を通して体験・シェアできれば幸いです。

*Eat, Entertain & Enjoy!!!*

ひでこ・コルトン

# contents

- 02　はじめに
- 06　NYのパーティーって、こんなに楽しい！
- 10　NY流おもてなし料理は、ここが特徴！

12 part.1
ニューヨーカーたち絶賛！
## マイベストレシピ

- 13　ひと口ソーセージ
- 14　ポーチ・ド・サーモン
- 15　サーモン・グラブラックス
- 16　コルトン流しゃぶしゃぶサラダ
- 17　あさりのディップ
- 18　チキンのマルサラ酒煮込み
- 19　梨とルッコラのサラダ
- 20　NY風まぐろのたたき
- 21　りんごとブルーチーズのチコリボート
- 22　スプリングガーデンタルト
- 23　フラワーレス・チョコレート・トルテ
- 24　ブルーチーズのスフレ
- 25　カモミールのパンナコッタ

28 part.2
食べれば、味の仕掛けに驚く！
## サプライズメニュー

- 29　チキンのゆずこしょうマリネ
- 30　豚ヒレ肉のプルーンソースがけ
- 31　じゃが芋のバジル焼き
- 32　チミチュリソースの焼き肉
- 33　ライムとコリアンダーの焼き鳥
- 34　和風チキンミートボール
- 35　ブリスケットの煮込み
- 36　りんごとゴルゴンゾーラのキッシュ
- 37　温製レタスサラダ
- 38　帆立てのタラゴンクリームソース
- 39　アボカドとえびの冷製スープ
- 40　丸ごとぶどうのケーキ
- 42　グラス・ショートケーキ

46 **part. 3**
パーティーのスタートを彩る
# ウェルカムドリンク

47 クランベリーローヤル
48 小梅のカクテル
　　エルダーフラワーブルーム
49 すいかのマルガリータ
　　ローズマリーとオレンジのミモザ
50 ルビーグレープフルーツタイム
　　レモンときゅうりのカクテル
　　ライムエールカクテル
51 ロゼのサングリア
　　アップルミューリング
　　レッドホットカモミール

26 　column1
　　　コルトン流・定番ピンチョスレシピ
44 　column2　お教室でも大好評！
　　　手土産にもなるオリジナルブレンド
66 　column3　これがNY流の心遣い
　　　翌朝の朝食をプレゼント！

※計量の単位は、カップ1 = 200cc、
　大さじ1 = 15cc、小さじ1 = 5ccです。
※電子レンジは500Wのものを使用しています。
　お持ちの機種に合わせて
　加熱時間を加減してください。

52 **part. 4**
ニューヨーカーをとりこにした、締めの
# デザートレシピ

53 NY流大福
54 オレンジジュースケーキ
55 グリルド・ルビーグレープフルーツ
56 簡単アップルパイ バタースコッチソースがけ
58 アップルコブラー
59 スパイシーチョコレートムース
60 コルトン流ハロウィンパイ
62 栗のパブロバ
63 レモンスクエアケーキ
64 NY ハニークリームチーズケーキ

68 **part. 5**
準備の仕方からテーブルコーディネートまで
# NY流パーティーの開き方

69 シーズン別 おすすめメニュー案
70 パーティー当日までのタイムスケジュール
72 コルトン流 基本のテーブルコーディネート
74 コルトン流 春夏秋冬のテーブルコーディネート
78 おわりに

# NYのパーティーって、こんなに

# 楽しい！

週末といえばいつもパーティーを
楽しんでいるように見えるニューヨーカーですが……
はい！　確かにそのとおりです（笑）。
なかなか日本に伝わらない NY のパーティー事情をご紹介します。

## テーマに沿った料理と空間演出がパーティーの醍醐味！

## 1 必ずテーマを決めてパーティーを開きます

何しろ NY は "世界一忙しい街"。だから、無意味に集まってだらだら飲んだり、食べたりということはありません。必ずテーマがあり、それに沿って人が集まり、楽しむのが日本のホームパーティーと違うところ。

パーティーのテーマはさまざまです。アメリカの行事や祝日から、その季節ならではの "風物詩" だったりも。たとえば、春だったらイースター（復活祭）や春の訪れを祝ったり、夏だったらバーベキュー、そして NY の夏の風物詩であるロゼワイン＆シーフードをテーマにしたり……秋以降は、パーティーシーズンに突入です。10月のハロウィン、11月のサンクスギビングデー（感謝祭）、そして12月のクリスマスにニューイヤーズイブと続きます。そして、このテーマへのこだわりは並々ならぬもの！　カクテルから料理、テーブルコーディネート、流す音楽に至るまで、すべてテーマに沿って構成します。そう！　これが NY のパーティーがエンターテインメントにあふれているといわれるゆえんです。

「イースター」では、シンボルであるうさぎと卵を飾ります。もちろん卵料理もコースに取り入れます。

テーマは「初春」。茶色いテーブルクロスで土を表現。料理には新芽をイメージしたベビーリーフを合わせて。

---

**Memo　こんなテーマのパーティーが開かれたりします**

小型犬を飼っている人たちで集まる **「ペットパーティー」**

アカデミー賞の行方を見守る **「アカデミーアワードパーティー」**

旅先で買ってきたワインを楽しむ **「ワインパーティー」**

アメリカンフットボールの優勝戦を観戦しながら
ビールを飲む **「スーパーボウルサンデー・パーティー」**

ホッケー、野球、バスケットボールの大きな試合があると、
男性陣はスポーツバーに繰り出すので、女性限定の **「裏パーティー」**

カクテルタイムはこんな感じ。「クランベリーローヤル」(47ページ)のお供には、「サーモン・グラブラックス」(15ページ)と「いちじくの生ハム巻き」(27ページ)を。

## 2 パーティーは新しい出会いの場

その日のゲストを全員把握しているのはホストだけ。だからこそ、積極的にゲストとゲストを紹介していきます。

ニューヨーカーがパーティーでいちばん大切にしているのは、人との出会い！　だから、最初にお酒を片手に、立って話すカクテルタイムを設けるんです。着席してしまったら、自分の席の周り＆特定の人としか話せないですし、その日のメンバーと「話題が合わない」と感じても、"逃げられない"ですもの（笑）。アメリカ人はその点とてもシビアですから、「つまらない」と感じたら、カクテルタイムだけで帰ってしまうことも。

気心の知れた仲間だけで複数回集まるようになると、どうしても話題が偏りがち。だからこそ、私はよく"はじめまして"の人を招待して、よりエキサイティングな場になるようにしています。だから自然と大人数になります。せっかくのパーティーですから、楽しく＆出会いが多い場にしたいですものね！

### Memo
#### NYのパーティーのタイムスケジュール

始まりは大体18〜19時。皆さん、仕事が終わったあとにいらっしゃいます。ここから1時間が"立ち飲み"のカクテルタイム。ピンチョスや46ページ〜のカクテルをふるまいます。そして19〜20時になったら着席してディナータイム。22〜23時には終了します。

## 3 パーティーは、基本"大人が楽しむもの"

もちろん子どものパーティー（お誕生会やレゴブロックパーティーなど）もあります。でも、基本、パーティーは大人のもの。お酒も飲みたいし、大人同士の会話をゆっくり楽しみたいですよね。だから子どもたちは別の部屋に集め、ベビーシッターやナニー（乳母）に面倒を見てもらいます。ただし"待っている子どもたち"がいるので、パーティーの終了は驚くほどスムーズ。22時に終了といったら、だらだらせず、きっかりこの時間に終わります。

# NY流おもてなし料理は、ここ

## 食べながら驚きや発見を楽しんでほしい

私のレシピでは、食材合わせや味つけが、日本のおもてなし料理と比べると、ちょっと変わっていると感じるかもしれません。でも人種の数だけ世界各国の味が集まるNY。料理に関して百戦錬磨のニューヨーカーたちを相手におもてなしをしてきたので、レシピを考える際、常に驚きやインパクト、そして新たな発見をゲストが食べながら体験できるようにしています。

## 料理に香りは欠かせません！

和食では基本、食材が持つ香りを大切にしますが、NYでは、香りづけをすることで、料理がより豊かに味わい深くなる！　とも考えられています。だからミントやレモンはもちろん、はちみつや茶葉、日本ではめずらしいローズウォーターなどで積極的に香りづけします。

## ハーブをとにかくよく使う

ローズマリー、バジルにディル、青じそなど日本人にも親しみのあるハーブ類はもちろん、本書ではちょっと聞きなれないタラゴンなども使っています。アメリカのみならず、外国人は香りづけした料理が好きですから、ハーブもフレッシュ＆ドライともにたくさん使います。

## 実は便利なオーブン調理

ガス調理だと、ガス台の前にずっと立ち、途中混ぜたりして焦げつきを防がなければなりませんが、オーブン料理はそれが一切ないので、焼いている間にほかの作業ができるんですね。でも仕上がりの見た目は豪華！　だからパーティー料理にオーブン調理は欠かせません。

使用オーブン H6260B ／ ミーレ・ジャパン

# が特徴！

私の料理＝NY流おもてなし料理は、
日本の皆さんからすると変わった食材の使い方や
不思議な組み合わせだったりするかもしれません。
でも、それにはNYなりの理由があるんです♪

## "ムダな労力は省く！" が鉄則

ニューヨーカーはとにかく忙しく、「タイム・イズ・マネー」。時間は有効に使うものであり、ムダにしません。だから、料理も手間のかかるものは非常に嫌がります。だから、使える缶詰や簡易食材はどんどん利用しますし、みじん切りなどもフードプロセッサーにおまかせです。

## 料理は楽しく！ 飲みながら作ります

調理中の気分は、料理の味に反映されると思っています。楽しくリラックスして調理するために、私は飲みながら、味見をしながら作るんです。生徒さんに驚かれますが、キリキリしながら焦って作るよりもずっとおいしくできるんですよ！

## "UMAMI食材" チーズが大活躍

日本語の"うまみ"という言葉は、英語でもそのまま"UMAMI"として使われています。ただし日本のようにだし文化ではないので、代わりにチーズを料理にもお菓子にも使い、うまみやコクを出す工夫をしています。

## 料理にもフルーツを！

日本だとフルーツは生食することが多いと思いますが、海外では抵抗なく料理に使いますし、火も通します。中でもニューヨーカーが大好きなりんごやベリー類は本書にも数多く出てきます。

NYは人種のるつぼ。わが家のホームパーティーにも、日本人からイタリア人、フランス人、ロシア人までさまざまな国の人たちが訪れます。この章では、どんな国の方に出しても喜ばれる13のベスト・オブ・ベストレシピを、作る頻度が多い順にご紹介。どれも、親しみのある食材を使っていますが、NYならではの多国籍なアレンジを加えて"新鮮な味"に仕上げています。

# part.1
## ニューヨーカーたち絶賛！
# マイベストレシピ

> リトル・イタリーのシェフに教えてもらったレシピをアレンジしました。
> ハーブの味がきいた、エキゾチックでスパイシーな味です

## 「初めて食べる味！」とゲストが驚く
### 〜 前菜 〜
# ひと口ソーセージ

**材料**
**（4人分・ひと口サイズのパテ約12個分）**

豚ひき肉……450g
A ┌ フェンネルシード……大さじ1
  │ 塩、レッドペッパーフレーク、
  └ 　ガーリックパウダー……各小さじ1
オリーブオイル……大さじ2
**アップルソース**
  ┌ りんご……2個
  │ 水……60cc
  └ レモン汁……1個分

**作り方**

1　アップルソースを作る。りんごは皮をむき、3cm角に切って小鍋に入れ、分量の水、レモン汁を加え、強火にかける。沸騰したら弱火にし、りんごがやわらかくなるまで約30分煮る。粗熱が取れたらミキサーに入れ、しっかりと攪拌する。

2　ボウルに豚ひき肉を入れてAを加え、粘りが出るまでよく混ぜる。12個のひと口大のボール状に丸める。

3　フライパンにオリーブオイルを熱し、2の両面を焼く。

4　器に1を敷き、3を並べる。レッドペッパーフレーク（分量外）を散らす。

「ニューヨーカーはサーモン料理が大好き！
だからパーティーでも
よくお出しします。
これはポーチ・ド・エッグのサーモン版」

## さわやかなヨーグルトソースを合わせて
### ポーチ・ド・サーモン（メイン）

### 材料（4人分）

- サーモン（刺身用）……1さく（400g）
- 水……カップ8
- A
  - シャンパンビネガー（ホワイトワインビネガーでも可）……大さじ4
  - 塩……小さじ4
- ソース
  - マヨネーズ……カップ½
  - ギリシャヨーグルト（普通のヨーグルトでも可）……カップ½
  - ディル……2本
  - きゅうり……½本
  - セロリ……¼本
  - ガーリックパウダー……小さじ½
  - レモン汁……小さじ1
- 塩、白こしょう……各適量

### 作り方

1　ソースを作る。ディル、きゅうりはみじん切りにする。セロリは筋を取り、みじん切りにする。ボウルにきゅうりとセロリを入れ、塩と白こしょう各少々をふり、約10分おき、水けを絞る。残りの材料をすべて加え、よく混ぜ合わせる。塩、白こしょうで調味する。

2　鍋に分量の水を入れて沸騰させ、Aを加える。沸騰したらサーモンを加え、弱火にして、約3分ゆでる。

3　ざるに上げて水けをきり、粗熱が取れたら冷蔵庫で約3時間冷やす。

4　4等分に切り、1のソースをかける。ディル（分量外）を飾る。

※ギリシャヨーグルトとは、水分を除去したヨーグルトのことで、市販されている。

「目を惹く盛りつけと、見た目は刺身なのに食べれば熟成したスモーキーな味わいに、皆さんびっくり！」

スモークサーモンのような深みある味わい

～前菜～

# サーモン・グラブラックス

## 材料（4人分）
サーモン（刺身用）……450g
塩、砂糖……各大さじ1
白こしょう……小さじ¼
ディル……5～6本
**ソース**
　ディジョンマスタード……大さじ1
　あんずジャム……大さじ½
　ルビーグレープフルーツジュース
　　（グレープフルーツジュース
　　でも可）……小さじ1
　エクストラバージンオリーブオイル
　　……大さじ2
　塩……少々

## 作り方
1　ボウルに塩、砂糖、白こしょうを入れ、よく混ぜる。
2　サーモンに1をもみ込み、ディルをのせてアルミホイルで包む。
3　2をポリ袋などに入れ、冷蔵庫で1日半冷やす。この際、味をよくしみ込ませるため、上にパック牛乳などを置いて重しにする。また、途中、水分が出てきたら捨てる。
4　ソースを作る。ボウルにソースの材料をすべて入れ、よく混ぜ合わせる。
5　3のディルを取り除き、ペーパータオルで余分な水分をふき取る。
6　5mm厚さのそぎ切りにし、器に盛り、ディル（分量外）を飾る。4のソースをのせていただく。

ポン酢やごまだれじゃつまらない！パセリ1束使ったソースで、ヘルシー&目新しい一品に。健康を気にするニューヨーカーたちにも人気です

### パセリソースの苦みがしゃぶしゃぶ肉と好相性
*前菜*
# コルトン流しゃぶしゃぶサラダ

**材料（4人分）**

牛しゃぶしゃぶ肉……360g
水……カップ10
ビーフブイヨン(固形)……3個
ソース
　パセリ……1束
　ケイパー……大さじ4
　アンチョビ……5枚
　レモン汁……1個分
　オリーブオイル……150cc
ベビーリーフ……適量

**作り方**

1　ソースを作る。フードプロセッサーにソースの材料をすべて入れ、とろみがつくまで攪拌する。
2　鍋に分量の水を入れ、沸騰したらブイヨンを加え、煮溶かす。
3　2に牛肉を加え、まんべんなく全体に火が通るよう、混ぜながら約1分ゆでる。
4　器にベビーリーフを盛り、3をのせ、1をかける。

> 魚介類のディップが盛んなアメリカ。このディップは、ボンゴレパスタをもっと濃厚にしたような味わいです

## あさりの水煮缶が絶品のパーティー料理に
#### 〜前菜〜
# あさりのディップ

### 材料（4人分）

- あさりの缶詰……1缶（180g）
- 玉ねぎ……½個
- バター（無塩）……大さじ2
- A
  - パセリのみじん切り……1本分
  - パン粉……カップ½
  - パルメザンチーズ……大さじ2
  - モッツァレラチーズ（細切りタイプ）……カップ⅓
  - パプリカパウダー、ガーリックパウダー……各小さじ¼
  - レモン汁、レモンの皮のすりおろし……各小さじ1
  - 塩、こしょう……各適量
- クラッカー……適量

### 作り方

1　玉ねぎはみじん切りにする。
2　あさりはざるに上げて汁けをきり、みじん切りにする。缶汁はとっておく。
3　フライパンにバターを熱し、1の玉ねぎを入れて塩をふり、約5分炒める。
4　ボウルに2と缶汁、3、Aを入れ、よく混ぜ合わせる。
5　耐熱容器に4を入れ、180℃に熱したオーブンでこんがり焼き色がつくまで約20分焼く。
6　クラッカーと一緒に器に盛る。

## 味わいは甘く軽やか♪ — メイン —
# チキンのマルサラ酒煮込み

> 見た目よりさっぱりしているので、女性が好きなロゼや白ワインを楽しむパーティーのときに作ります

### 材料（4人分）

- 鶏肉(から揚げ用)……600g
- マッシュルーム……300g
- 玉ねぎ……1個
- オリーブオイル……大さじ1
- バター(無塩)……大さじ3
- マルサラ酒……カップ1½
- チキンスープ……カップ2
- オレガノの葉(生)、タイムの葉(生)
  ……各カップ½(ドライタイプを使う場合は、各小さじ¼)
- 塩、こしょう……各少々
- A
  - 薄力粉……大さじ3
  - ガーリックパウダー……小さじ½
  - 塩……小さじ¼
  - こしょう……少々

### 作り方

1　玉ねぎ、オレガノ、タイムはみじん切り、マッシュルームは薄切りにする。

2　鶏肉はポリ袋に入れ、Aを加えてよくまぶす。

3　フライパンにオリーブオイルとバター½量を熱し、バターが溶けたら2を入れ、全体に焼き色がつくまで約3分中火で炒めて、取り出す。

4　3のフライパンに残りのバターを入れて、玉ねぎを炒める。玉ねぎが透明になったらマッシュルームを加え、汁けが出てくるまで約5分炒める。

5　1のオレガノとタイム、マルサラ酒を加える。煮立ったら、全体をよく混ぜ、弱火にしてマルサラ酒が½量になるまで約20分煮込む。

6　チキンスープを加え、約5分煮て、3の鶏肉を戻し入れ、さらに約10分煮込む。塩、こしょうで調味する。

7　器に盛り、あればパセリのみじん切り（分量外）を散らす。

### Hideko's アドバイス

マルサラ酒とは、"マルサラワイン"ともいわれるワインの一種。ポートワインのような甘さが特徴で、お菓子作りなどにも使われます。

「りんごのサラダにはないみずみずしさは、梨だからこそ！ 前菜としてもいいですが、重厚な肉料理のあと、口直しに出すととても喜ばれます」

## みずみずしさとさわやかさにみんな驚く
## 梨とルッコラのサラダ

### 材料（4人分）
ルッコラ……200g
梨……1個
パルメザンチーズのスライス……8枚
くるみ……80g
**ドレッシング**
A ┌ はちみつ、ディジョンマスタード……各大さじ1
  │ ホワイトバルサミコ酢
  │ （ホワイトワインビネガーでも可）
  │ ……大さじ2
  └ オリーブオイル……大さじ3
塩、こしょう……各少々

### 作り方
**1** ルッコラはひと口大に切る。梨は皮をむき、芯を取り除き、5mm幅の薄切りにする。フライパンにくるみを入れ、弱火で炒る。
**2** ドレッシングを作る。ボウルにAを入れてよく混ぜ合わせ、塩、こしょうで調味する。
**3** 器にルッコラを盛り、梨とパルメザンチーズをのせ、ドレッシングをかける。1のくるみを手で砕きながら散らす。

「アメリカではタバスコより人気のスリラチャソース。
アクセントに入れることで、辛さとコクが加わり、ゲストに『おっ!?』と思わせる味わいに」

## あとから辛さがピリリとくる
### 前菜
# NY風まぐろのたたき

### 材料（4人分）

まぐろ(刺身用)……150g
あさつき……8本
クラッカー……適量
A ┌ スリラチャソース、マヨネーズ……各小さじ2
　└ しょうゆ、ごま油……各大さじ1

### 作り方

1　まぐろは包丁でたたいて細かくする。あさつきは小口切りにする。
2　ボウルに1のあさつきとAを入れ、よく混ぜ合わせる。
3　1のまぐろと2をよく混ぜ合わせ、器に盛り、あさつきの小口切り（分量外）を飾る。クラッカーを添える。

#### Hideko's アドバイス

スリラチャソースとは、唐がらしとにんにくなどでできた辛みソース。「シラチャソース」とも呼ばれており、日本では輸入食材店で買えます。アメリカでは専門のレシピ本も出ているほどの人気。

> パーティー料理に"チコリボート"はよくあるからこそ、見せ方に工夫を。
> 満開の花のように盛りつければ、前菜ながらメイン級の目を惹く一皿に

## 片手で食べられるから、ワインのお供に

前菜

# りんごとブルーチーズのチコリボート

### 材料（4人分）

- チコリ……大2個
- りんご……½個
- ブルーチーズ……50g
- セロリ……½本
- マヨネーズ……大さじ1½
- レモン汁……小さじ1
- 塩……少々
- くるみ……カップ½

### 作り方

**1** チコリは芯からはがす。りんごは皮をむき、芯を取り除き、7mm角のさいの目に切る。ブルーチーズは1cm角のさいの目に切る。セロリは筋を取り、みじん切りにする。フライパンにくるみを入れ、弱火で炒る。

**2** ボウルにチコリとくるみ以外の材料をすべて入れ、よく混ぜ合わせる。

**3** チコリに2を盛り、くるみを手で砕いてのせる。

> カスタードにミントの香りづけをしているので、プロっぽい仕上がりに

食べれば口じゅうに広がるミントの香り！

デザート
## スプリングガーデンタルト

### 材料（長さ22cmのタルト型1台分）

- 冷凍パイシート（市販）……1枚
- いちご、ラズベリー、ブルーベリー、キウイ等……各適量
- レモン汁……1個分
- グラニュー糖……大さじ1～2
- 粉砂糖……適量

**ミントカスタードクリーム**
- 牛乳……250cc
- ミント（枝つき）……3～4本
- 卵黄……3個分
- グラニュー糖……大さじ4
- コーンスターチ……大さじ1½
- 生クリーム……60cc

### 作り方

1　パイシートは使う10分前に冷凍庫から出す。オーブンは180℃に温める。いちご、キウイは細かく切り、残りのフルーツと一緒にボウルに入れ、グラニュー糖とレモン汁をまぶす。

2　めん棒などで1のパイシートを型よりひと回り大きくのばし、型に敷く。余った部分は切り落とす。底の部分にフォークで数ヵ所穴を開けてオーブンに入れ、20分焼く。

3　ミントカスタードクリームを作る。小鍋に牛乳とミントを入れて火にかける。沸騰直前で火を止め、ふたをし、約15分そのままおく。ミントを取り除く。

4　ボウルに卵黄とグラニュー糖を入れ、白くまったりとするまで泡立て器で泡立てる。コーンスターチを加え、全体を混ぜ合わせる。

5　4に3を少しずつ加えながらしっかりと混ぜる。これを鍋に移し、泡立て器で混ぜながら3～4分弱火にかけ、クリーム状にする。

6　5をボウルに移してラップをし、粗熱が取れたら冷蔵庫で約6時間冷やす。冷えたら、生クリームをしっかり泡立てて、加え混ぜる。

7　2に6を均等に広げ、1のフルーツを散らし、粉砂糖をふる。

「まるで生チョコのような、しっとり&ねっとりとした食べ心地。でも小麦粉を使っていないので、おなかにもたれません」

見た目はケーキ、でも小麦粉不使用

# フラワーレス・チョコレート・トルテ
（デザート）

### 材料（直径18cmの丸型1台分）

チョコレートチップ（セミスイート）……カップ1
バター（無塩）……100g
卵……3個
グラニュー糖……大さじ4
はちみつ……大さじ5

### 作り方

**1** オーブンを180℃に温める。

**2** 型にサラダ油少々（分量外）を塗り、オーブンシートを敷く。

**3** 小鍋にバターとチョコレートを入れ、弱火にかけて溶かす。

**4** ボウルに卵とグラニュー糖を入れ、泡立て器でしっかりと泡立てる。はちみつを加え、さらに泡立てる。

**5** 3を加えてしっかり混ぜ合わせ、2に流し入れて、オーブンで20～30分焼く。

「しょっぱいだけだと、食べている途中で飽きるんです。だから仕上げにはちみつで"甘さ"を加え、味を複雑にしています」

### デザートじゃない！ワインに合う、濃厚スフレ

― 前菜 ―

## ブルーチーズのスフレ

**材料**
（直径9cmのココット4個分）

- バター（無塩）、粉チーズ……各大さじ2
- 薄力粉……大さじ1½
- 牛乳……130cc
- 塩……小さじ¼
- こしょう……少々
- 卵黄、卵白……各2個分
- ブルーチーズ……50g
- 生ハム……4枚
- ドライいちじく……3個
- はちみつ……大さじ1

**作り方**

1　オーブンは190℃に温める。ココット皿の内側にバター（分量外）を塗り、粉チーズをふる。生ハムといちじくは、みじん切りにする。牛乳は小鍋に入れて火にかけ、沸騰直前で火を止める。

2　スフレ生地を作る。小鍋にバターを入れ、弱火にかける。バターが溶けたら、薄力粉を入れ、木べらでよく混ぜる。約2分経ったら火から下ろし、1の温めた牛乳、塩、こしょうを加え混ぜる。焦げつかないよう、ときどき木べらで混ぜながらペースト状になるまで弱火にかける。

3　火から下ろし、卵黄を1個ずつ加え、木べらでゆっくりと混ぜ、2となじんだら、さらにブルーチーズを加え混ぜ、ボウルに移す。

4　別のボウルに卵白を入れ、泡立て器で角がしっかり立つまで泡立てる。

5　3に4のメレンゲを少量ずつ加え混ぜる。このときメレンゲの泡がつぶれないよう、切るように混ぜる。

6　1のココットに生ハムを入れ、5のスフレ生地を流し入れる。オーブンで15〜20分焼く。

7　焼き上がった6にいちじくをのせ、はちみつをかける。

> パンナコッタは、NYでも人気のデザート。カモミールの香りでリラックス効果もあります

## エレガントな香りの大人のデザート
### カモミールのパンナコッタ

**材料（直径9cmのココット4個分）**

カモミールティーのティーバッグ……2個
牛乳……350cc
生クリーム……200cc
グラニュー糖……大さじ4
ゼラチン……7g

**作り方**

1　ゼラチンは10ccの水につけふやかす。
2　小鍋に牛乳を入れ、沸騰直前まで温め、ティーバッグを加えてふたをし、約5分蒸らす。
3　ティーバッグを取り出し、1とグラニュー糖を加え混ぜる。
4　生クリームを加え混ぜたら、ココット皿に注ぎ、粗熱が取れたら冷蔵庫で2〜3時間冷やし固める。あればミント（分量外）を飾る。

## column 1 コルトン流・定番ピンチョスレシピ

片手でつまめるピンチョスは、NYでもカクテルパーティーから普段のおもてなしまで大活躍。
私はいつも4種類ほど用意。
甘いものやしょっぱいもの、味にバリエーションをもたせるようにしています。

---

### 1 あめ色玉ねぎをフィリングにするのが新鮮!
### 玉ねぎとグリエールチーズのタルト

材料(直径5cmのマフィン型12個分)
冷凍パイシート(市販)……1枚
バター(無塩)……15g
玉ねぎ……1個
タイム(生)……2本
バルサミコ酢……大さじ1
グリエールチーズ
　(エメンタールでも可)……85g
サワークリーム……50g
塩、こしょう……各少々

作り方
1　オーブンは180℃に温める。パイシートは使う10分前に冷凍庫から出す。めん棒などで一度のばし、マフィン型に合う大きさに切り、敷く。底にフォークで数ヵ所穴を開け、オーブンに入れ、15分焼く。
2　玉ねぎは薄切り、タイムは茎を取り除き、葉をみじん切りにする。
3　フライパンにバターを熱し、玉ねぎを炒める。しんなりしてきたら、タイムを加え、きつね色になるまで中火で炒める。
4　バルサミコ酢を加え、さらに15分炒める。
5　チーズを加え混ぜ、塩、こしょうで調味する。
6　1に5を盛り、サワークリームをのせる。

### 2 タイムとブラックオリーブが味のアクセント
### パプリカのツナクリームのせ

材料(4人分)
パプリカ(赤・黄・オレンジ)……各2個
A ┌ ブラックオリーブ(種なし)……カップ⅓
　│ にんにく……1かけ
　└ ケイパー……大さじ1
ツナ(缶詰)……1缶
B ┌ ディジョンマスタード……小さじ1
　│ オリーブオイル、ギリシャヨーグルト……各大さじ2
　│ レモン汁……小さじ2
　│ ローズマリー(生)、タイム(生)……各小さじ1
　└ (ドライタイプを使う場合は、各小さじ¼)

作り方
1　パプリカは、へたと種を取り、4cmの正方形に切る。Aはみじん切りにする。
2　ボウルに缶汁をきったツナを入れてフォークでほぐし、AとBを加えて、よく混ぜる。1のパプリカに2を盛る。あれば刻んだ生のタイムの葉(分量外)をのせる。

### 3 デザート的なピンチョスも1品あると箸休めに
### 桃とモッツァレラチーズのタルト

材料(直径5cmのマフィン型12個分)
冷凍パイシート(市販)……1枚
桃……1個
モッツァレラチーズ……200g

作り方
1　オーブンは180℃に温める。パイシートは使う10分前に冷凍庫から出す。めん棒などで一度のばし、マフィン型に合う大きさに切り、敷く。底にフォークで数ヵ所穴を開け、オーブンに入れ、15分焼く。
2　桃は皮をむいて種を取り、1cm角のさいの目に切る。チーズも同様に切る。
3　1に2の桃、チーズを順にのせ、オーブンで10分焼く。

## 4 鉄板・フルーツの生ハム巻きに チーズをプラス
# いちじくの生ハム巻き

材料（4人分）
いちじく……4個
ゴルゴンゾーラチーズ……80g
生ハム……4枚

作り方
1　いちじくは縦半分に切る。生ハムは長さを半分に切る。
2　いちじくの上にゴルゴンゾーラチーズを大さじ1ずつのせ、生ハムで巻く。

衣食住、すべてにおいて最先端のモノが大好きなニューヨーカーたち。だから私は、いつも飽きさせないよう、甘い、辛いだけでなく、1つの料理に酸味や香りなども盛り込み、さまざまな味を複雑にからみ合わせるようにしています。また、「え？ この食材をこんなふうに調理しちゃうの？」という驚きや発見も楽しんでもらっています。生徒に人気のある 13 レシピです。

part.2

食べれば、味の仕掛けに驚く！
# サプライズメニュー

「鶏肉に、酸味と辛みをプラスすると、タイのチキン料理のような味わいに。
酢ではなく、すし酢を使うことで、ほどよく甘みとコクがプラスされます」

## 和の調味料で作るオリエンタルな味に驚き

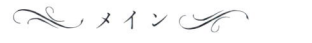

# チキンのゆずこしょうマリネ

### 材料（4人分）

鶏もも肉……450g

A
- ゆずこしょう……小さじ1½
- すし酢、オリーブオイル……各大さじ2
- グラニュー糖……小さじ2
- みりん……大さじ1

### 作り方

1　鶏もも肉は一口大に切る。
2　ボウルにAを入れてよく混ぜ合わせる。
3　ポリ袋に1を入れ、2を加えてよくまぶし、1時間以上おく。
4　フライパンを熱し、3を中火で焼く。
5　全体に焼き色がついたら3のつけだれを加え、からめるようにして焼く。

> 「さっぱりとした肉料理なので、女性ゲストに大好評！ソースは、2種類の赤ワインを使うことで、味に深みとコクを出します」

厚切りでも
フルーツの風味で
ペロリといける

～メイン～

## 豚ヒレ肉のプルーンソースがけ

### 材料（4人分）

- 豚ヒレかたまり肉……400g
- にんにく……2かけ
- ドライタイム……小さじ½
- オリーブオイル……大さじ3
- 塩、こしょう……各少々

**ソース**
- ドライプルーン（種なし）……10個
- 赤ワイン、ポートワイン……各カップ1
- チキンスープの素（固形）……1個
- タイム（生）……4本
  （ドライタイプを使う場合は、小さじ¼）
- エシャロット……½個
- 塩、こしょう……各少々

### 作り方

1　にんにくとエシャロットはみじん切りにする。プルーンは半分に切る。ソース用の生のタイムは茎から葉だけを取る。

2　豚肉に塩、こしょうをふり、1のにんにくとドライタイム、オリーブオイル大さじ1をまぶす。

3　鍋に残りのオリーブオイルを入れて火にかけ、2を強火で焼く。

4　全体に焼き色がついたらふたをし、弱火にして15～20分蒸し焼きにして取り出す。

5　ソースを作る。小鍋に1のプルーン、赤ワイン、ポートワインを入れ、中火にかける。煮立ったら、チキンスープの素、1のエシャロットとタイムを加えて塩、こしょうをし、弱火にして、煮汁が½量になるまで煮詰める。

6　4を2cm厚さに切り分けて器に盛り、5をかける。

※エシャロットは、玉ねぎのような形をした、フランス料理では欠かせない食材。エシャレットは、らっきょうのような形をした野菜。この本では前者のエシャロットを使っているが、エシャレットでも代用可。エシャレットで代用する場合は、材料を2本に変更して。

**Hideko's アドバイス**

重い鋳物のふたをして焼くことで肉のうまみを引き出し、やわらかく仕上がるので、できれば「ル・クルーゼ」などに代表される鋳物鍋を使って。

「市販のバジルソースと生のバジルをダブル使いするので、"とことんバジル味"ですが、意外なほどあっさりとしています」

想像以上に強烈なバジルの香りに誰もが驚く

～前菜～

# じゃが芋のバジル焼き

## 材料（4人分）

じゃが芋……3個
マッシュルーム……10個
にんにく……1かけ
バジルソース(市販)……100g
バジル……10枚
塩……少々
オリーブオイル……大さじ2

## 作り方

**1** じゃが芋は皮つきのまま、5mm厚さに切る。マッシュルームは薄切り、バジルとにんにくはみじん切りにする。バジルは1つまみ分、飾り用にとっておく。

**2** フライパンにオリーブオイルを熱し、1のにんにくを中火でさっと炒める。

**3** 1のじゃが芋とマッシュルームを加え、塩をふり、さっと炒める。ふたをし、弱火にして、じゃが芋がやわらかくなるまで20分蒸し焼きにする。

**4** 火を止め、1のバジルとバジルソースを加え、ソースが全体に行き渡るようにざっくり混ぜ合わせる。器に盛り、飾り用のバジルを散らす。

中南米で使われるパセリとにんにくベースのチミチュリソースを、バジルとミントでアレンジ。パイナップルも使うから、酵素の力で安いお肉がAランクに！

## 焼き肉とわからない盛りつけもおいしさの秘訣
### メイン
# チミチュリソースの焼き肉

### 材料（4人分）

- 牛肉（焼き肉用）……250g
- パイナップル……1個
- エシャロット……大1個
- にんにく……2かけ
- A
  - バジル……約15枚
  - ミント……約15枚
  - オリーブオイル……大さじ5
  - ホワイトバルサミコ酢……大さじ5
  - 塩……小さじ1
  - こしょう……小さじ½
- 塩、こしょう……各少々
- オリーブオイル……大さじ1

※エシャロットをエシャレットで代用する場合は、材料を5本に変更（P30参照）。

### 作り方

1　牛肉に塩、こしょうをふる。パイナップルは葉と底を1cm切り落とす。縦2等分に切った後、片方のみをさらに縦半分に切る。パイナップル¼個は皮をむき、芯を取り除き、身を乱切りにする。にんにく、エシャロットは粗みじん切りにする。

2　ミキサーに1の乱切りにしたパイナップル、にんにく、エシャロット、Aを入れ攪拌してソースを作る。

3　ポリ袋に1の牛肉を入れ、2を加えてまぶし、1時間以上おく。

4　フライパンにオリーブオイルを熱し、3の両面を中火で焼く。

5　1の半分に切ったパイナップルの皮を薄く切り、自立するようにし、器に置く。その上に4を盛り、ミントの葉（分量外）を飾る。

> 味のバリエが塩とたれしかない焼き鳥に、変化球！つけ込んでから焼くので、ライムとコリアンダーの香りがしっかり

## 「オーマイガッ！」エスニック味の焼き鳥
### 前菜
# ライムとコリアンダーの焼き鳥

### 材料（4人分）

鶏もも肉（から揚げ用）……500g
オリーブオイル……大さじ3

A
- にんにく……1かけ
- コリアンダーのみじん切り……カップ½
- ライム……1個
- ライムの皮……1個分
- 塩……小さじ¼
- こしょう……少々

### 作り方

1　にんにくはみじん切りに、鶏肉は一口大に切る。
2　フードプロセッサーにAを入れ、しっかりと攪拌（かくはん）する。全体がよく混ざったら、オリーブオイルを加え、再度攪拌する。
3　ポリ袋に1の鶏肉を入れ、2を加えてよくまぶし、2時間以上おく。
4　3を串に刺し、魚焼きグリルやフライパンで全体に焼き色がつくまで中火で焼く。
5　器に盛り、横半分に切ったライム(分量外)を添える。

**Hideko's アドバイス**

焼き鳥は、アメリカでは"手を汚さずに食べられる"エレガントなパーティーフード。大人気なんです。

「肉団子には、パン粉と牛乳が入っているからふんわりとした食べ心地！
でもソースの正体が皆さん、わからず（笑）、教えると驚きます」

## ゆずジャムソースが個性的なお惣菜
### 和風チキンミートボール
〜メイン〜

**材料（4人分）**

鶏ひき肉……650g
牛乳……100cc
パン粉……大さじ4
七味唐がらし……少々

A
　にんにくのすりおろし……3かけ分
　しょうがのすりおろし……大さじ1
　あさつき……4本
　しょうゆ……大さじ2
　みりん……小さじ2
　いり白ごま……大さじ1
　塩、こしょう……各少々

ソース
　ごま油、オリーブオイル……各大さじ2
　にんにくのすりおろし……2かけ分
　しょうがのすりおろし、砂糖……各大さじ1
　ゆずジャム……大さじ8
　しょうゆ……大さじ4
　水……カップ1
　塩、こしょう……各少々

**作り方**

1　オーブンは250℃に温める。あさつきは小口切りにする。

2　ボウルに牛乳、パン粉を入れて混ぜ合わせ、5分おく。

3　2に鶏肉とAを加え、粘りが出るまでよく混ぜる。直径5cmのボール形に整える。

4　オーブンシートを敷いた天パンに3を並べ、オーブンで約15分焼く。

5　ソースを作る。小鍋にごま油とオリーブオイルを熱し、にんにくとしょうがを炒める。ゆずジャム、しょうゆ、砂糖、分量の水を加え、よく混ぜながら3分煮る。塩、こしょうで調味する。

6　4を器に盛り、5をかけ、七味唐がらしをふる。

「簡単に言うと牛肉のトマト煮ですが、ユダヤ教の祝日に食べる料理。味はビーフシチューに近い感じで、夫の大好物です」

## NYの冬のおもてなしに欠かせない、定番料理
### メイン
# ブリスケットの煮込み

**材料（4人分）**

ブリスケット（牛肩ばらのかたまり肉・ない場合は牛ももステーキ用で可）……600g

A [ ドライタイム、ドライオレガノ……各小さじ¼
　　塩……小さじ1½
　　こしょう……小さじ¼ ]

にんにく……3かけ
薄力粉……大さじ2
にんじん、セロリ……各1本
玉ねぎ……1個
ビーフブイヨン（固形）……1個
カットトマト缶……1缶（400g）
オリーブオイル……大さじ2
塩……少々

**作り方**

1　ビーフブイヨンは300ccの湯で溶く。

2　にんにくはみじん切り、にんじん、玉ねぎは、一口大に切る。セロリは筋を取り、一口大に切る。

3　ボウルに2のにんにくとAを入れ、よく混ぜ合わせる。これを牛肉にもみ込み、薄力粉を全体にまぶす。

4　鍋にオリーブオイルを熱し、3を入れ、全体に焼き色がつくまで強火で焼いて取り出す。

5　4の鍋ににんじん、玉ねぎ、セロリを入れ、中火で炒めて、塩をふる。

6　玉ねぎが透き通ったら、4で一度取り出した肉をのせ、1のビーフブイヨンを溶いたスープ、トマトを加えてふたをする。弱火にして、肉がやわらかくなるまで約30分煮込む。

7　肉を取り出し、残った煮汁はハンドミキサーなどで粗めに撹拌する。

8　肉をスライスして器に盛り、7をかけ、あればパセリのみじん切り（分量外）を散らす。

複雑な味わいが
NYセレブたちにも大好評

～ 前菜 ～
## りんごとゴルゴンゾーラのキッシュ

> お酒のお供に出す生ハム&チーズ、フルーツをそのままキッシュの材料に。甘み、塩け、フルーティさ、濃厚さが一度に味わえるパワフルな一品です

### 材料
（直径23cmのパイ型1台分）

- 冷凍パイシート(市販)……1枚
- りんご……1個
- バター(無塩)……大さじ2
- 長ねぎ……½本
- 卵……4個
- 生クリーム……200cc
- ゴルゴンゾーラチーズ……100g
- 生ハム……6枚

### 作り方

**1** パイシートは使う10分前に冷凍庫から出す。オーブンは200℃に温める。

**2** りんごは皮つきのまま芯を取り除き、1cm角に切る。長ねぎは小口切りにする。生ハムは粗みじん切りにする。

**3** パイシートはめん棒などで型よりひと回り大きくのばし、型に敷き、余った部分は切り落とす。底の部分にフォークで穴を開ける。

**4** フライパンにバターを熱し、2のりんごと長ねぎを中火で、長ねぎがしんなりとするまで炒める。

**5** ボウルに卵と生クリームを入れ、よく混ぜ合わせる。

**6** 3にチーズを手でくずしながら均等に散らし、生ハムを散らす。4を加え、5をかけたら、オーブンで20〜30分焼く。

「グリル料理が盛んなアメリカでは、何でも焼きます！ 焼くことでスモーキーさが加わり、生で食べるのとは違う深みのあるおいしさに」

## レタスを焼くことに日本の友人たちは驚きます
### 温製レタスサラダ（サラダ）

### 材料（4人分）
レタス……1玉
オリーブオイル、パルメザンチーズ……各大さじ4
塩、こしょう……各少々

### 作り方
1　レタスは縦4等分に切る。
2　1のレタスの断面に、オリーブオイルを大さじ½ずつかけ、塩、こしょうをふる。
3　フライパンに2のレタスを入れ、断面を中火で軽く焦げ目がつくまで焼く。
4　一度返し、断面にパルメザンチーズ大さじ1ずつふりかけて返し、チーズが溶けるまで焼く。

日本ではあまりメジャーではないハーブ・タラゴンを使った一品。八角に似た香りなので、好き嫌いが分かれますが、ハマる方には『倒れるおいしさ！』と言われます（笑）

## クリームソースと思いきや、薬効の高そうな香り⁉
～ 前菜 ～
# 帆立てのタラゴンクリームソース

### 材料（4人分）

帆立て貝柱……12個
バター（無塩）……大さじ3
エシャロット……1個
タラゴン（生）……3本
セロリの葉……大6枚
白ワイン、生クリーム……各60cc
塩、こしょう……各少々

### 作り方

**1** 帆立ては、塩、こしょうをふる。エシャロットとタラゴン、セロリの葉はみじん切りにする。

**2** フライパンにバター½量を熱し、1の帆立てを入れ、中火で焼く。両面に焼き色がついたら器に盛る。

**3** 2のフライパンに残りのバターを熱し、1のエシャロットとタラゴン、セロリの葉、塩、こしょうを入れてしんなりするまで中火で炒める。

**4** 白ワインを加え、一煮立ちさせたら生クリームを加える。

**5** 2に4をかける。

※エシャロットをエシャレットで代用する場合は、材料を4本に変更（P30参照）。

### Hideko's アドバイス

もし手に入るようであれば、白ワインではなく、薬草の香りが強い「ドライベルモット」で作ってみてください。中国料理に紹興酒を使うのと同じで、味にコクと深みが加わり、さらに本格的な仕上がりになります。

「メキシコ料理の定番食材であるアボカド、えび、ライムを全部詰め込んだスープ。メキシコ系移民も多いNYでは、夏はメキシコ料理を楽しみます」

### 予想を裏切る、甘みと酸味のコンビネーション
スープ
# アボカドとえびの冷製スープ

### 材料（4人分）
アボカド……1個
エシャロット、マンゴー……各½個
にんにく……1かけ
オリーブオイル……大さじ2
チキンスープの素(固形)……1個
えび……大5尾
コリアンダーのみじん切り……大さじ3
ライム汁……小さじ1
塩……少々

### 作り方

**1** アボカドは種を取り除き、皮をむき、一口大に切る。エシャロット、にんにくはみじん切りにする。マンゴーは皮をむき、種を取り除いて、粗みじん切りにする。チキンスープの素は湯カップ2で溶かす。

**2** えびは殻をむき、背わたを取る。5尾のうち4尾は粗みじん切りにする。飾り用の1尾は切らずにおく。

**3** 鍋にオリーブオイルを熱し、1のエシャロットとにんにくを弱火で3分間炒める。チキンスープを加える。

**4** 2のえびを加え、ピンク色になるまで数分間炒める。飾り用の1尾を取り出し、粗みじん切りにする。

**5** 火を止め、アボカドを加える。ハンドミキサーなどでピューレ状にし、粗熱が取れたら冷蔵庫に入れて約3時間冷やす。

**6** ボウルに4の飾り用のえび、1のマンゴー、コリアンダー、ライム汁、塩を入れ、よく混ぜる。

**7** 器に5を入れ、6を飾る。

※エシャロットをエシャレットで代用する場合は、材料を2本に変更（P30参照）。

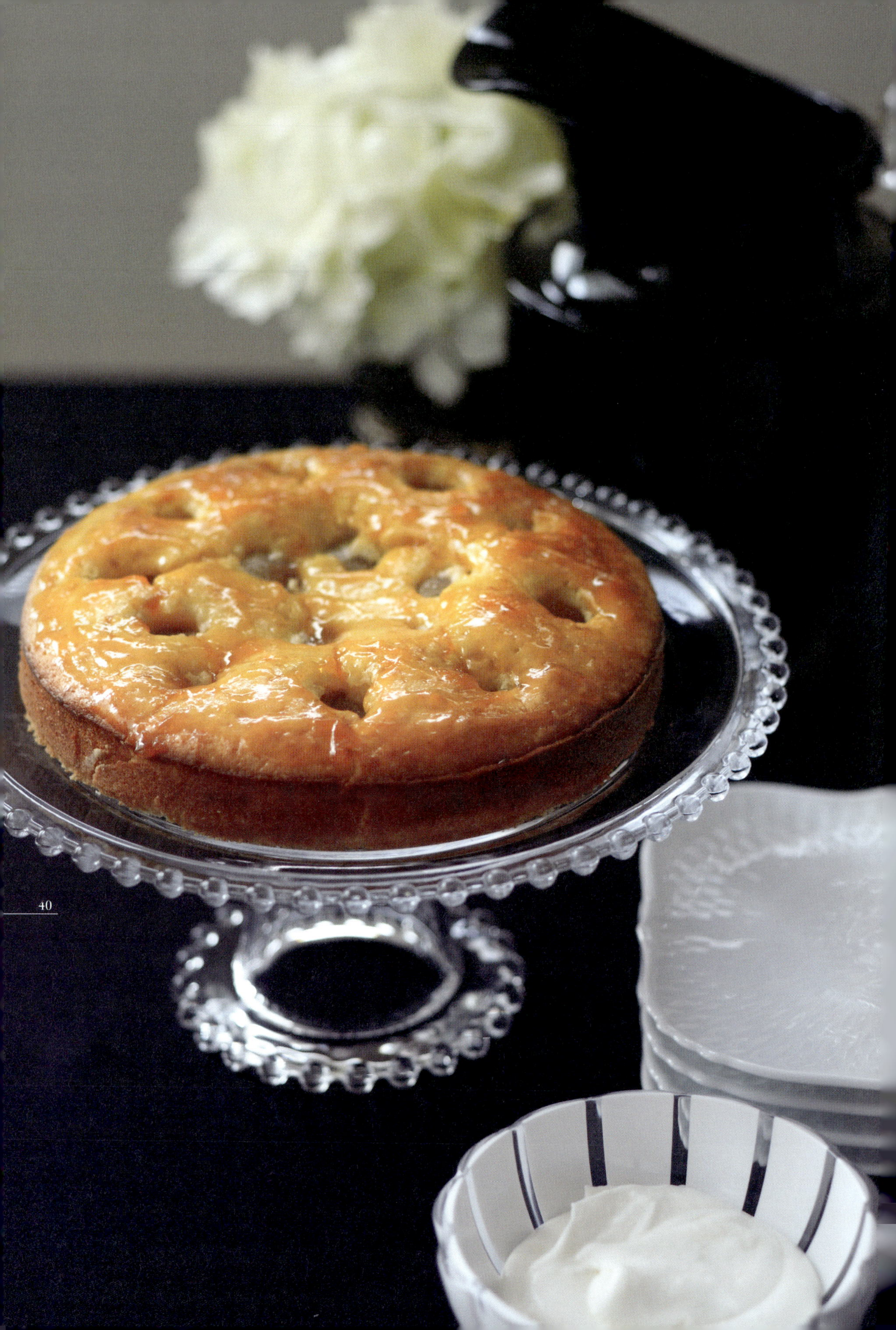

「干しぶどうを使ったケーキはよくありますが、これはフレッシュなぶどうを粒ごと使用。だからプチッとした食感も楽しめ、とってもジューシー！」

食べるときは泡立てた無糖の生クリームをたっぷりかけてもおいしいですよ。

## フレッシュなぶどうを使うところが新鮮
### デザート
# 丸ごとぶどうのケーキ

### 材料（直径18cmのケーキ型1台分）

- ぶどう（種なし・できれば皮ごと食べられるもの）……15粒
- 卵……2個
- グラニュー糖……160g
- バター（無塩）……大さじ3
- オリーブオイル……60cc
- 牛乳……60cc
- リコッタチーズ……カップ1/3
- バニラエッセンス……小さじ1/2
- 薄力粉……カップ1 1/2
- ベーキングパウダー……小さじ1
- 塩……少々
- オレンジ、レモン……各1個
- あんずジャム……大さじ2

### 作り方

1　オーブンは180℃に温める。バターは耐熱容器に入れ、電子レンジに30秒かけて溶かす。オレンジとレモンは皮をすりおろす。ケーキ型の内側にサラダ油（分量外）を塗る。あんずジャムは水小さじ1で溶く。

2　ボウルに卵とグラニュー糖を入れ、白っぽくなるまで泡立てる。

3　2に1の溶かしバター、オリーブオイル、牛乳、リコッタチーズ、バニラエッセンスを加え、全体がなじむようによく混ぜる。

4　別のボウルに薄力粉、ベーキングパウダー、塩、1のオレンジとレモンの皮のすりおろしを入れ、よく混ぜ合わせる。

5　3に4を2～3回に分けて加え、さっくり混ぜ合わせる。

6　1の型に5を入れ、ぶどうを均等に置く。オーブンに入れ、1時間焼く。

7　粗熱が取れたら型からはずし、1のあんずジャムを塗る。

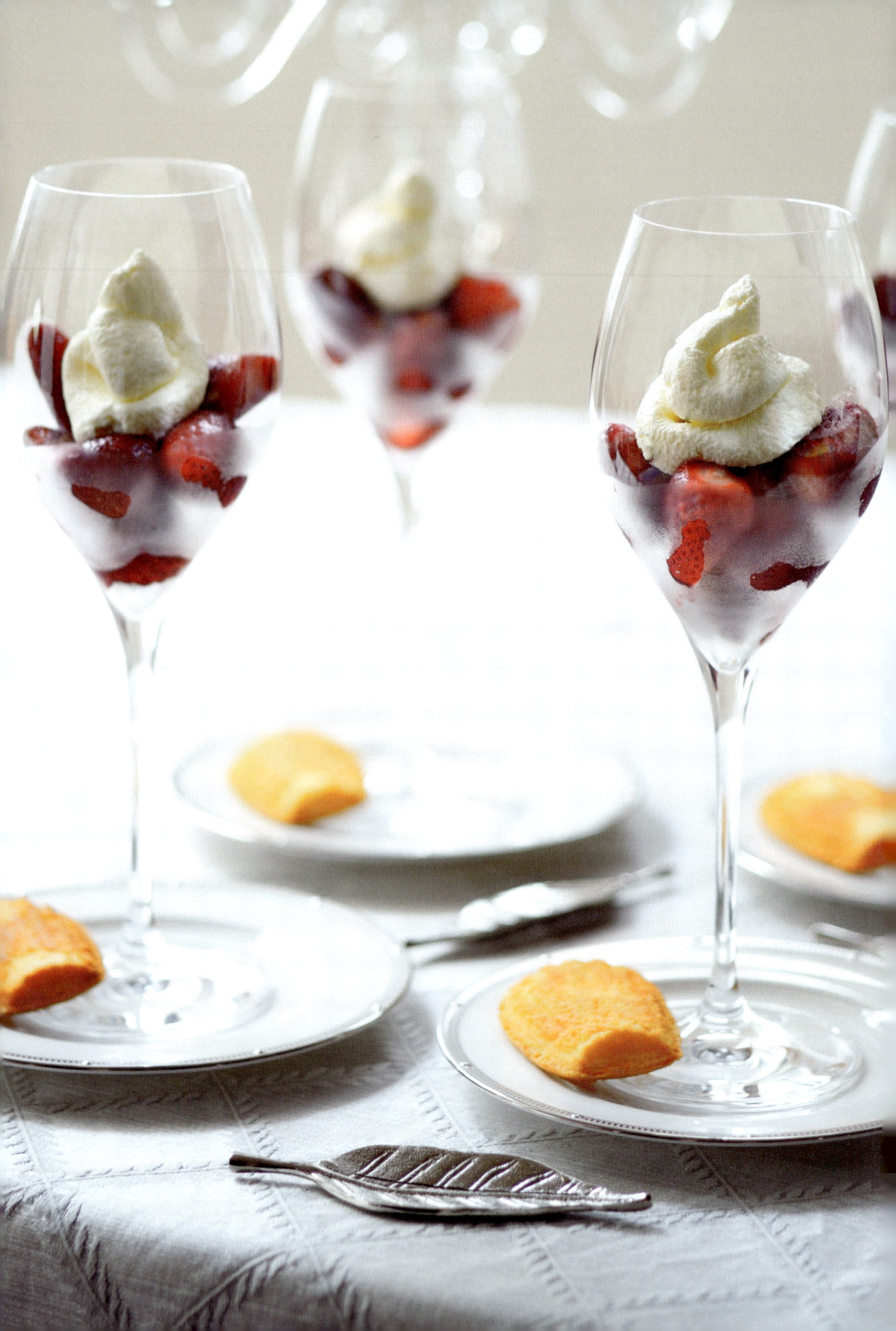

「マドレーヌをかじりながら、ストロベリー&クリームを口に入れて食べてください。いちごは旬を逃していてもOK！冷凍でもおいしく作れますよ」

ショートケーキを分解した発想を
褒められます
～ デザート ～
## グラス・ショートケーキ

### 材料（4人分）

いちご（冷凍いちごでも可）……20個
生クリーム……300cc
グラニュー糖……小さじ1
ローズウォーター……適宜
マドレーヌ……4個

### 作り方

1　ボウルにいちごを入れ、グラニュー糖大さじ½（分量外）をふり、1時間おく。
2　生クリームにグラニュー糖と、あればローズウォーター小さじ1を加え、泡立てる。
3　グラスに1を1人5個ずつと2を均等に入れ、小皿などにマドレーヌを添える。

---

**Hideko's アドバイス**

NYでは、いちご×ばらの香りのコンビネーションは最高！とされているため、生クリームをローズウォーターで香りづけしたのですが、日本で親しみのあるものではありません。ただ、生クリームに香りをつけると、おいしさが増すので、はちみつやメイプルシロップ、いちごジャムで代用してください。

## column 2 お教室でも大好評！
## 手土産にもなるオリジナルブレンド

香りのアクセントがきいたスパイスや紅茶は、簡単に作れるので、自分で作ってしまいます。
素敵な瓶や缶に入れれば、ゲストへのちょっとしたプレゼントになります。

### エレガントな香りと彩りが喜ばれる
### ダークローズティー

**Hideko's アドバイス**

そのまま紅茶として飲んで楽しんでいただくことはもちろん、ロゼワインやお好みのリキュール、シンプルシロップ（49ページ参照）と紅茶を合わせれば、カクテルとして楽しむこともできます。

**材料（作りやすい分量）**

アールグレイ……100g
ローズヒップティー……50g
食用ドライローズフラワー……50g
オレンジピール……大さじ2

**作り方**

1　ボウルに材料をすべて入れ、よく混ぜ合わせる。
2　空き容器などに小分けにして入れる。

## バーベキューやグリル料理に大活躍!
## オリジナル・ホットスパイス

材料(1人分・30g)
フェンネルシード……大さじ1
塩(できれば海塩)、レッドペッパーフレーク、
　ガーリックパウダー……各小さじ1

作り方
ボウルに材料をすべて入れ、よく混ぜ合わせる。

**Hideko's アドバイス**

ひと口ソーセージ(13ページ参照)でも使っているスパイスです。これは肉にも魚にも使えるオールマイティな調合。料理好きな方にプレゼントするととても喜ばれます。

## マルチに使えるフレーバーオイル
## レモンオイル

材料(150cc分)
レモン……1個
オリーブオイル……150cc

作り方
1　レモンは塩(分量外)でよくもみ洗いする。皮をピーラーで薄くむき(白い部分は苦みが出るので除く)、空き瓶などに入れる。
2　1にオリーブオイルを注ぎ、冷暗所または冷蔵庫で1週間おく。

**Hideko's アドバイス**

香りつきのオイルは、何でもない料理の味を豊かにしてくれるので、私も重宝しています。66ページのマフィンにも使用。サラダや焼き上がった魚やお肉にかけるのもおすすめです。

NYのホームパーティーは、大人主体のものがほとんどです。18時ごろから始まり、最初の1時間は立ちながらお酒と会話を楽しむ時間。この"カクテルタイム"、もちろん気軽にビールやワインで乾杯ということもありますが、ウェルカムの気持ちを表すのと忙しい中いらしてくださったゲストののどの渇きを癒やす意味も込めて、おいしくて、見た目もおしゃれなカクテルは欠かせません！

# part.3
## パーティーのスタートを彩る
# ウェルカムドリンク

# Best カクテル レシピ

さまざまなカクテルを作ってきましたが、その中でも好評のトップ3をご紹介します。

※カクテルに使うシャンパーニュまたはスパークリングワインは、ドライ（辛口）がおすすめ。

立ち上るシャンパーニュの泡と一緒にクランベリーがダンスしているよう。その姿が華やかで、"始まりのカクテル"にぴったり！

オレンジリキュールにつけたクランベリーは、パウンドケーキの中に入れて焼いてもおいしいです。

## ベリーとオレンジの香りが広がる
## NO.1 クランベリーローヤル

### 材料（4人分）

ドライクランベリー、オレンジリキュール
　（グラン・マルニエ、またはコアントロー）……各カップ½
シャンパーニュ（スパークリングワインでも可）……1本（750cc）

### 作り方

1　クランベリーは煮沸消毒した空き瓶などに入れ、オレンジリキュールを注ぎ、約1週間つける。
2　グラスに1を大さじ1入れ、シャンパーニュを適量注ぐ。

> 小梅のカクテルは、ミントで作るモヒートをヒントに、青じそと梅酒で和風にアレンジ！

> エルダーフラワーのカクテルは、NYの女性にも大人気。エルダーフラワーコーディアルを使って

あの"小梅キャンディ"の
味がする！
## NO.2
## 小梅のカクテル

### 材料（4人分）
青じそ……4枚
梅酒……大さじ4
シャンパーニュ（スパークリングワインでも可）
　……1本（750cc）

### 作り方
1　青じそはせん切りにする。すり鉢に入れ、すりこ木などで押しつぶす。
2　1をグラスに均等に入れ、梅酒を大さじ1加える。
3　2のグラスに、シャンパーニュを各適量注ぐ。

飲めば花の香りが
ふわり広がる！
## NO.3
## エルダーフラワーブルーム

### 材料（4人分）
エルダーフラワーコーディアル……大さじ4
シャンパーニュ（スパークリングワインでも可）
　……1本（750cc）

### 作り方
グラスにエルダーフラワーのコーディアル（シロップ）を大さじ1入れ、シャンパーニュを適量注ぐ。

# シンプルシロップを使った
# カクテルレシピ

## シンプルシロップとは　§ Simple Syrup

カクテルの甘みづけや香りづけに多用するシロップのこと。自分で簡単に作れます。アイスティーやお菓子作りにも使えるので、覚えておくと便利です。

### 材料（作りやすい分量）
砂糖、水……各カップ1

### 作り方
1　小鍋に材料を入れ、火にかける。ときどき混ぜながら、砂糖を溶かす。
2　沸騰直前に火を止める。
※冷蔵庫で約6ヵ月保存可能。

香りづけするときは、熱いうちに以下の材料を適量入れてふたをし、冷めるまでおきます。冷めたら香りづけの材料は取り出してください（必要であればこす）。

### 香りづけに使える材料
ローズマリー、ミント、バジル、ラベンダー、オレンジピール、レモンピール、グレープフルーツピール、ゆずピール、バニラ、タイムなど。

---

§ Simple Syrup

すいかが入ると、テキーラも飲みやすく！

## すいかのマルガリータ

### 材料（4人分）
すいか……¼個（1kg）
ライム……1個
シンプルシロップ……大さじ4
テキーラ……100cc

### 作り方
1　すいかは種を取り、皮を除いて乱切りにする。ライムは果汁を絞る。すいかの身とライムの絞り汁をミキサーにかけて撹拌し、こす。
2　グラスに1とシンプルシロップを各大さじ1入れ、テキーラを25cc注ぐ。ライムの薄切り（分量外）を浮かべる。

---

§ Simple Syrup

清涼感ある香りのカクテル

## ローズマリーとオレンジのミモザ

### 材料（4人分）
ローズマリーのシンプルシロップ……大さじ4
オレンジの絞り汁……1個分
シャンパーニュ（スパークリングワインでも可）……1本(750cc)

※ローズマリーのシンプルシロップは、上記のシンプルシロップが熱いうちにローズマリーの枝を入れて香りづけする。

### 作り方
グラスにシンプルシロップ大さじ1とオレンジの絞り汁大さじ2を入れ、シャンパーニュを適量注ぐ。ローズマリーとオレンジのいちょう切り（ともに分量外）を飾る。

§ Simple Syrup

ちょっとめずらしい
薬草酒のような香り

## ルビーグレープフルーツタイム

### 材料（4人分）
ルビーグレープフルーツの絞り汁……1個分
タイムのシンプルシロップ……大さじ4
シャンパーニュ（スパークリングワインでも可）
　……1本（750cc）

※タイムのシンプルシロップは、49ページのシンプルシロップが熱いうちにタイムの枝を入れて香りづけする。

### 作り方
1　グラスにルビーグレープフルーツの絞り汁大さじ2とシンプルシロップ大さじ1を入れる。
2　1にシャンパーニュを適量注ぐ。ルビーグレープフルーツの皮をピーラーで削ったものとタイムの枝（ともに分量外）を飾る。

---

§ Simple Syrup

きゅうりの青くささは
辛口シャンパーニュと好相性

## レモンときゅうりのカクテル

### 材料（4人分）
レモン……1個
きゅうり……½本
シンプルシロップ
　……大さじ4
シャンパーニュ
（スパークリング
ワインでも可）
　……1本（750cc）

### 作り方
1　レモンときゅうりは3mm厚さの輪切りにする。
2　グラスに1と、シンプルシロップ大さじ1を入れる。シャンパーニュを適量注ぐ。

---

§ Simple Syrup

絞りたてのライムの
パワフルな香りを楽しんで

## ライムエールカクテル

### 材料（4人分）
ライムの絞り汁
　……1個分
シンプルシロップ
　……大さじ4
シャンパーニュ
（スパークリング
ワインでも可）
　……1本（750cc）

### 作り方
グラスにライムの絞り汁とシンプルシロップ大さじ1を入れ、シャンパーニュを適量注ぐ。ピーラーで削ったライムの皮（分量外）を飾る。

§ Simple Syrup

夏のフルーツの
香りが
ワインに移って♪

## ロゼのサングリア

材料（4人分）

桃、アプリコット、プラム……各1個
バジルのシンプルシロップ……大さじ5
ロゼワイン……1本(750cc)

※バジルのシンプルシロップは、
49ページのシンプルシロップが熱いうちに
バジルを入れて香りづけしたもの。

作り方

1　ワインを冷やす。
2　フルーツは皮つきのまま使うのでよく洗う。アプリコットとプラムは、種を取り、1cm角のさいの目に切る。桃は種を取り、薄い半月形に切る。
3　ピッチャーに1と2、シンプルシロップを入れ、軽く混ぜ合わせる。

# 温かいカクテル

NYの冬は、ときに－15℃になることもある厳しさ。だから冬のホームパーティーでは、まず温かいカクテルをお出しして、温まってもらいます。

体を温めるスパイスがたっぷり入った
## アップルミューリング

材料（4人分）

りんごジュース……カップ5
ブランデー、またはラム酒
　　……大さじ4
A ┌ シナモンスティック
　│　　……2本
　│ 八角……2個
　└ クローブ……10粒

作り方

1　鍋にりんごジュースとAを入れて火にかける。沸騰したら弱火にして、約20分煮込む。
2　耐熱グラスやマグカップにブランデーを大さじ1入れ、1を適量注ぐ。シナモンスティック（分量外）を飾る。

女性に人気！　心やすらぐ香りのホットワイン
## レッドホットカモミール

材料（4人分）

カモミールティーバッグ……2個
赤ワイン……カップ1½
ぶどうジュース……カップ3

作り方

1　鍋に赤ワインとぶどうジュースを入れて火にかける。沸騰直前にティーバッグを加え、火を止めふたをして、約5分おく。
2　ティーバッグを取り出す。

NYのホームパーティーは、しっかりと"コース仕立て"なので、デザートまで出します。でも、昔のようにクリームこってり&ビッグサイズのケーキではなく、今はさわやか&軽やかな味のものだったり、ほんの少し食べれば満足するスイーツが人気です。日本人のお口にも合うものばかりなので、ぜひ作ってみてくださいね。どれもティータイムにも使えますよ！

*part.4*

ニューヨーカーをとりこにした、締めの
# デザートレシピ

## あんこの代用品はデーツ！
## 見事和菓子の味に
# NY流大福

「お正月に手作りの和菓子でおもてなしをしたくて生まれた、スピーディーに作れるレシピ。現地の日本人にも大好評です！」

### Hideko's アドバイス
デーツとはナツメヤシの実のこと。日本ではドライフルーツになったものが主流で、干し柿をもっと濃厚＆甘くしたような味がします。

### 材料（4個分）
デーツ……4個
切り餅……1個
青じそ……4枚

### 作り方
1 デーツは縦半分に切り、種を取る。切り餅は、4等分に切り、オーブントースターで、焼き色がつくまで5分焼く。
2 デーツで焼いた餅をはさみ、青じそで巻く。

> 焼き上がったケーキにオレンジ果汁を絞るところが目新しい、このケーキ。皮もしっかりと使うので、香りも堪能できます

果汁をしみ込ませるから、とことんオレンジ風味！

## オレンジジュースケーキ

### 材料（直径18cmのケーキ型1台分）

- オレンジ……2個
- 卵……3個
- グラニュー糖……150g
- サラダ油……大さじ6
- 薄力粉……カップ1½
- ベーキングパウダー……大さじ¼
- 粉砂糖……大さじ1

### 作り方

1　オーブンは180℃に温める。ケーキ型の内側にサラダ油（分量外）を塗る。オレンジは塩（分量外）でもみ洗いしたあと、1個は皮ごとぶつ切りにする。種は取り除く。

2　ミキサーに1のぶつ切りしたオレンジと卵、グラニュー糖、サラダ油、薄力粉、ベーキングパウダー、粉砂糖を入れ、なめらかになるまで攪拌する。

3　1の型に2を流し入れ、オーブンで20～30分焼く。焼き上がったら粗熱を取り、器に盛って、フォークで数ヵ所穴を開ける。

4　もうひとつのオレンジは、皮をすったあと横半分に切り、3に果汁を絞りかける。

5　すったオレンジの皮を散らす。

---

**Hideko's アドバイス**

お好みではちみつを入れて泡立てた生クリームを添えると、さわやかさにクリーミーさが加わって、最強のおいしさに！

「重いコースメニューの最後にお出しするデザート。フルーツも黒砂糖もグリルすることでスモーキーなおいしさに」

## フルーツの酸味と黒砂糖の甘みが混じった新しいおいしさ！
# グリルド・ルビーグレープフルーツ

### 材料（4個分）

ルビーグレープフルーツ……2個
黒砂糖、バター（無塩）……各大さじ4
シナモン……小さじ¼
ギリシャヨーグルト……100g
はちみつ……大さじ1

### 作り方

1　ルビーグレープフルーツは横半分に切る。自立するように、底を少し切る。バターは耐熱容器に入れ、電子レンジに30秒かけて溶かす。
2　ボウルにヨーグルトとはちみつを入れ、よく混ぜ合わせる。
3　別のボウルに1のバターと黒砂糖、シナモンを入れ、よく混ぜ合わせる。これを1のグレープフルーツの断面に大さじ1塗る。
4　3を魚焼きグリルなどに入れ、中火で約5分焼く。
5　器に盛り、2を均等にのせる。

---

**Hideko's アドバイス**

普通のグレープフルーツで作っても構いません。ただしそのときは、グレープフルーツの断面に塗る黒砂糖、バター、シナモンは、"黒砂糖多め"にして作ってください。

「ただのアップルパイで終わらせません。キャラメルに似たバタースコッチソースをかけてコクと甘みをプラスします」

酸味のあるりんごに、濃厚な甘いソースがからんで絶品！

# 簡単アップルパイ
# バタースコッチソースがけ

## バタースコッチソース

### 材料（4個分）

バター(無塩)……大さじ2
黒砂糖……70g
生クリーム……80cc
バニラエッセンス……5滴
塩……小さじ½

### 作り方

**1** 鍋にバターを入れ中火にかける。バターが溶け始めたら黒砂糖を加え、黒砂糖が溶けるまで木べらでよく混ぜる。
**2** 生クリームを加え、混ぜながら5～7分弱火にかける。
**3** 粗熱を取る。
**4** バニラエッセンスと塩を加える。

## 下準備

アップルソースとバタースコッチソースを作る。
※アップルソースの作り方は13ページ参照。

### 材料（4個分）

冷凍パイシート(市販)……2枚
アップルソース……200cc
ナツメグ……小さじ⅛
りんご……1½個
黒砂糖……大さじ2
バター(無塩)……大さじ1
バタースコッチソース……80cc
粉砂糖……少々

### 作り方

**1** パイシートは使う10分前に冷凍庫から出す。オーブンは200℃に温める。りんごは皮つきのまま芯を取り、5mm幅のくし形に切る。バターは耐熱容器に入れ、電子レンジに30秒かけて溶かす。
**2** ボウルにアップルソースとナツメグを入れ、よく混ぜ合わせる。
**3** 別のボウルに1のバターと黒砂糖を入れてよく混ぜ合わせ、1のりんごを加え、まぶす。
**4** 1のパイシートは直径12cmのお椀などを使って型を抜く。これを4枚作り、フォークで数ヵ所、穴を開ける。
**5** オーブンシートに4をのせ、2のアップルソースを塗り、3のりんごをパイシート1枚につき5枚を少しずつ重ねてのせる。オーブンで20～30分焼く。
**6** 5にバタースコッチソースをかけ、粉砂糖をふる。

> りんごにビスケット生地を散らして焼くお菓子。耐熱容器からすくって食べるので、気取りがなく、アットホームなパーティーのとき、必ず作ります

## りんごのクッキーをケーキにしたみたい
## アップルコブラー

### 材料（20cm四方の耐熱容器1個分）
- りんご……3個
- グラニュー糖……大さじ1½
- コーンスターチ……小さじ½
- レモン汁……大さじ½
- 塩……少々
- **トッピング**
  - 薄力粉……100g
  - グラニュー糖……大さじ1½
  - ベーキングパウダー……小さじ¼
  - シナモン、塩……各少々
  - バター（無塩）……大さじ3
  - プレーンヨーグルト……大さじ4
- グラニュー糖……小さじ½
- 粉砂糖……適量
- ホイップクリーム（バニラアイスでも可）……適量

### 作り方

1　オーブンは220℃に温める。

2　りんごは皮をむき、種と芯を取り除き、5mm幅のくし形に切る。ボウルに入れ、グラニュー糖をまぶし、30分おく。

3　別のボウルに2から出た汁、コーンスターチ、レモン汁、塩を入れてよく混ぜ合わせる。

4　耐熱容器に2のりんごと3を入れてよく混ぜ合わせ、オーブンで10分焼く。

5　トッピングを作る。フードプロセッサーに薄力粉、グラニュー糖、ベーキングパウダー、シナモン、塩を入れて軽く攪拌する。

6　冷えたバターを加え、こまめにスイッチを入れながら5回ほど攪拌する。ボウルに移し替え、ヨーグルトを加え、さっくり混ぜる。

7　4の上に6をまんべんなく散らし、グラニュー糖をふり、さらに15分焼く。

8　オーブンから取り出し、粗熱が取れたら粉砂糖をふり、器によそい、ホイップクリームを添える。

> 誰もが知っているデザートも辛みスパイスを加えて、新鮮に！バレンタインの定番デザートです

## 食べれば舌にピリリと刺激を感じる！
## スパイシーチョコレートムース

### 材料（直径8cmのココット4個分）

生クリーム……100cc
エスプレッソ粉……小さじ1½
チリパウダー、シナモン……各小さじ¼
カイエンヌペッパー、ターメリック……各小さじ⅛
ダークチョコレートチップ……120g
卵白……3個分
グラニュー糖……大さじ1

### 作り方

1　小鍋に生クリーム、エスプレッソ粉、チリパウダー、シナモン、カイエンヌペッパー、ターメリックを入れ、中火にかける。沸騰直前で火を止める。

2　チョコレートチップを加え、やさしく混ぜながら溶かす。

3　ボウルに卵白とグラニュー糖を入れ、泡立て器で角が立つまでしっかりと泡立てる。

4　3に2を加える。泡立てた卵白がつぶれないよう、ゆっくりと切るように混ぜる。

5　ココット皿に4を流し込み、冷蔵庫で3時間以上冷やす。

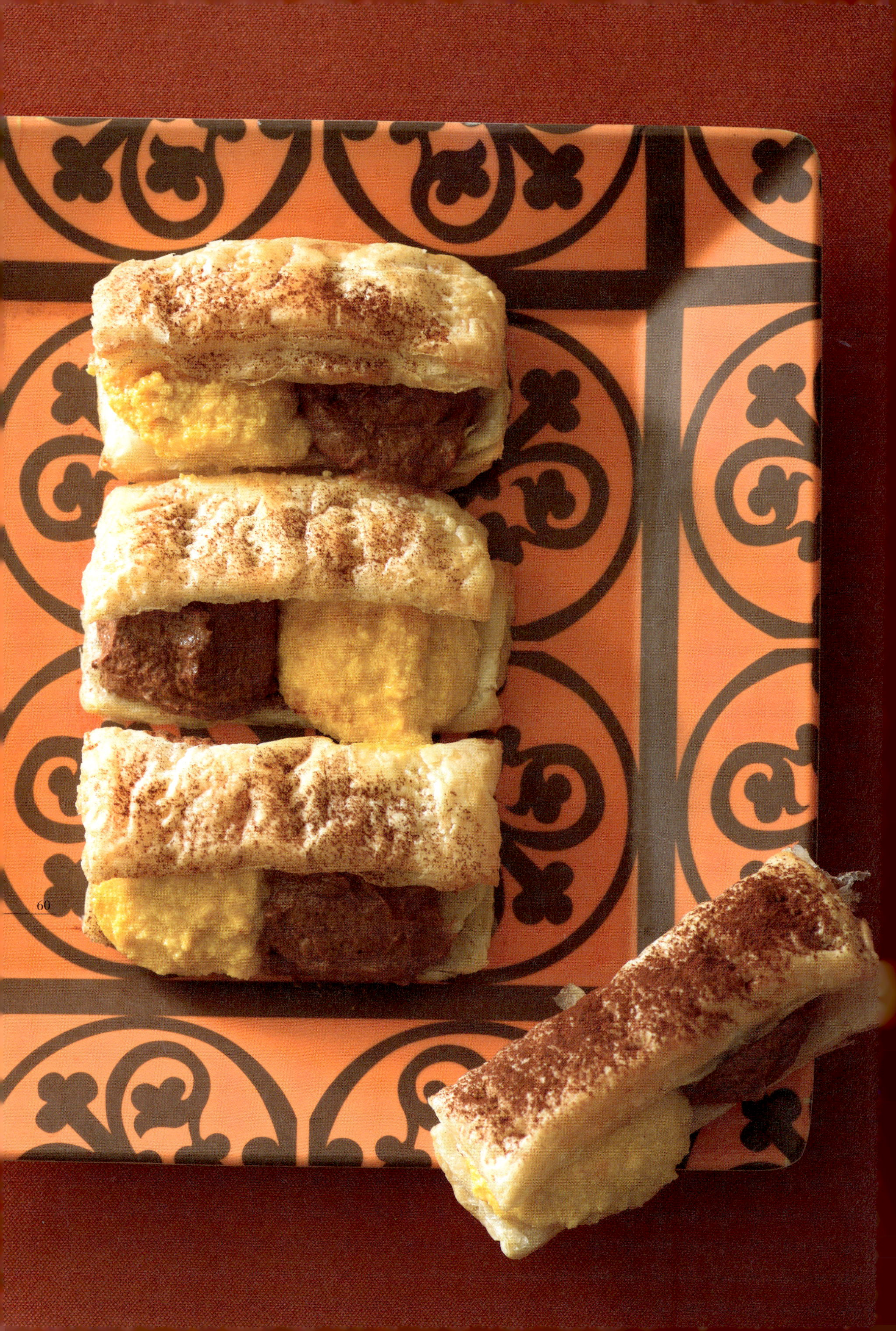

「甘くもたれるかぼちゃのスイーツではなく、これはあっさり味。ハロウィンカラーのクリームがポイント」

## 2つのクリームのハーモニーがたまらない！
# コルトン流 ハロウィンパイ

### 下準備
かぼちゃのピューレ（左下参照）を作る。

### 材料（4個分）
冷凍パイシート（市販）……1枚
**かぼちゃのクリーム**
- かぼちゃのピューレ……大さじ3
- マスカルポーネチーズ……大さじ3
- グラニュー糖……小さじ2
- 生クリーム……カップ½
- バニラエッセンス……5滴
- シナモン……少々

**チョコレートチーズクリーム**
- ダークチョコレートチップ……カップ½
- 生クリーム……大さじ2
- マスカルポーネチーズ……カップ½
- オレンジリキュール（グラン・マルニエなど）、オレンジの皮のすりおろし……各大さじ1

ココアパウダー……適量

### 作り方
**1** ＜かぼちゃのクリーム＞の生クリームは、泡立て器で角が立つまでしっかり泡立てる。＜かぼちゃのクリーム＞＜チョコレートチーズクリーム＞ともに使うマスカルポーネチーズは室温に戻す。パイシートは使う10分前に冷凍庫から出す。オーブンは180℃に温める。

**2** かぼちゃのクリームを作る。ボウルにかぼちゃのピューレとマスカルポーネチーズ、グラニュー糖、泡立てた生クリームを入れ、よく混ぜ合わせる。バニラエッセンスとシナモンを加え混ぜる。

**3** チョコレートチーズクリームを作る。耐熱容器にチョコレートチップと生クリームを入れ、電子レンジに1分かけ、チョコレートを溶かす。

**4** ボウルに3を移し替え、マスカルポーネチーズ、オレンジリキュール、オレンジの皮を加え、よく混ぜ合わせる。

**5** パイシートは4等分に切り、オーブンで10分焼く。

**6** 焼き上がったパイ生地は粗熱が取れたら、厚みを2つにはがす。

**7** 1枚のパイ生地の上に2と4をのせ、もう1枚のパイ生地ではさみ、ココアパウダーをふる。

---

### かぼちゃのピューレ

**材料（作りやすい分量）**
かぼちゃ…¼個

**作り方**
**1** かぼちゃは皮をむき、種とわたを取り除く。一口大に切り、耐熱容器に入れ、ラップをかけ、電子レンジに約5分かける。

**2** フォークなどでつぶし、全体がつぶれたら湯大さじ2を加え、スプーンなどに持ち替え、よく練り混ぜる。

食べた方は『アンジェリーナ』のモンブランを思い出す！と必ずおっしゃいます。秋から冬にかけての定番デザートです

## 濃厚なのに、あとひく甘さのメレンゲケーキ
# 栗のパブロバ

### 材料（4個分）
- 卵白……2個分
- 塩……少々
- グラニュー糖……カップ½
- バニラエッセンス……5滴
- 栗の甘露煮（市販）……8個
- ホワイトチョコレート……適量

**マロンクリーム**
- マロンペースト（市販）……大さじ4
- 生クリーム……大さじ1

**チーズクリーム**
- マスカルポーネチーズ……大さじ4
- メープルシロップ（または黒砂糖）……大さじ1
- 生クリーム……100cc

※パブロバとは、果物と生クリームを使ったメレンゲベースのデザートのこと。

### 作り方

1　オーブンは100℃に温める。マスカルポーネチーズは室温に戻す。〈チーズクリーム〉の生クリームは、泡立て器で七分立てにする。ホワイトチョコレートはピーラーなどで細かく削る。

2　チーズクリームを作る。ボウルにマスカルポーネチーズとメープルシロップ、泡立てた生クリームを加えて、ゴムべらなどで混ぜ合わせる。

3　マロンクリームを作る。ボウルにマロンペーストと生クリームを入れて、ゴムべらなどでよく混ぜ合わせる。

4　別のボウルに卵白と塩を入れ、泡立て器で角が立つまでしっかりと泡立てる。グラニュー糖とバニラエッセンスを加え、さらに角が立つまで泡立てる。

5　天パンにオーブンシートを敷き、4を4等分してのせ、丸く形を整え、1時間焼く。

6　5の粗熱が取れたら、2、3、栗の甘露煮を2つずつのせ、1のホワイトチョコレートを散らす。

「味はさわやか。でも意外なほどボリューミー。レモンパイのクリーム部分をもっと濃厚にした感じです」

## 甘酸っぱくて コクのある クリームが特徴

# レモンスクエアケーキ

### 材料（20cm四方のケーキ型1台分）
バター（無塩）……110g
グラニュー糖……大さじ4
薄力粉、アーモンドプードル……各カップ½
塩……少々
粉砂糖……適量
**レモンクリーム**
- 卵……3個
- グラニュー糖……240g
- レモンの皮のすりおろし……大さじ1
- レモン汁……100cc
- 薄力粉……70g

### 作り方
**1** バターと卵は室温に戻す。オーブンは180℃に温める。
**2** レモンクリームを作る。ボウルに材料をすべて入れ、泡立て器でなめらかになるまでよく混ぜる。
**3** ボウルに1のバターとグラニュー糖を入れ、泡立て器で白っぽくなるまで混ぜる。
**4** 薄力粉、アーモンドプードル、塩を加え、泡立て器で全体がなじむまで混ぜ合わせる。
**5** ケーキ型の底に4を均等になるように敷き詰め、冷蔵庫で30分冷やし固める。
**6** オーブンに5を入れ、15分焼く。
**7** 6に2を流し込んで均等に整え、オーブンに戻し、さらに20分焼く。
**8** 粗熱が取れたら冷蔵庫に入れ、3時間以上冷やす。
**9** 型から出し、ひと口サイズに切り分け、粉砂糖をふる。あればレモンの輪切り（分量外）を飾る。

### Hideko's アドバイス
冷凍保存が可能（1ヵ月間）なので、時間があるときに作っておき、常にストックしているケーキです。夏は生のバジルをのせて、さわやかさをアップさせてお出しします。

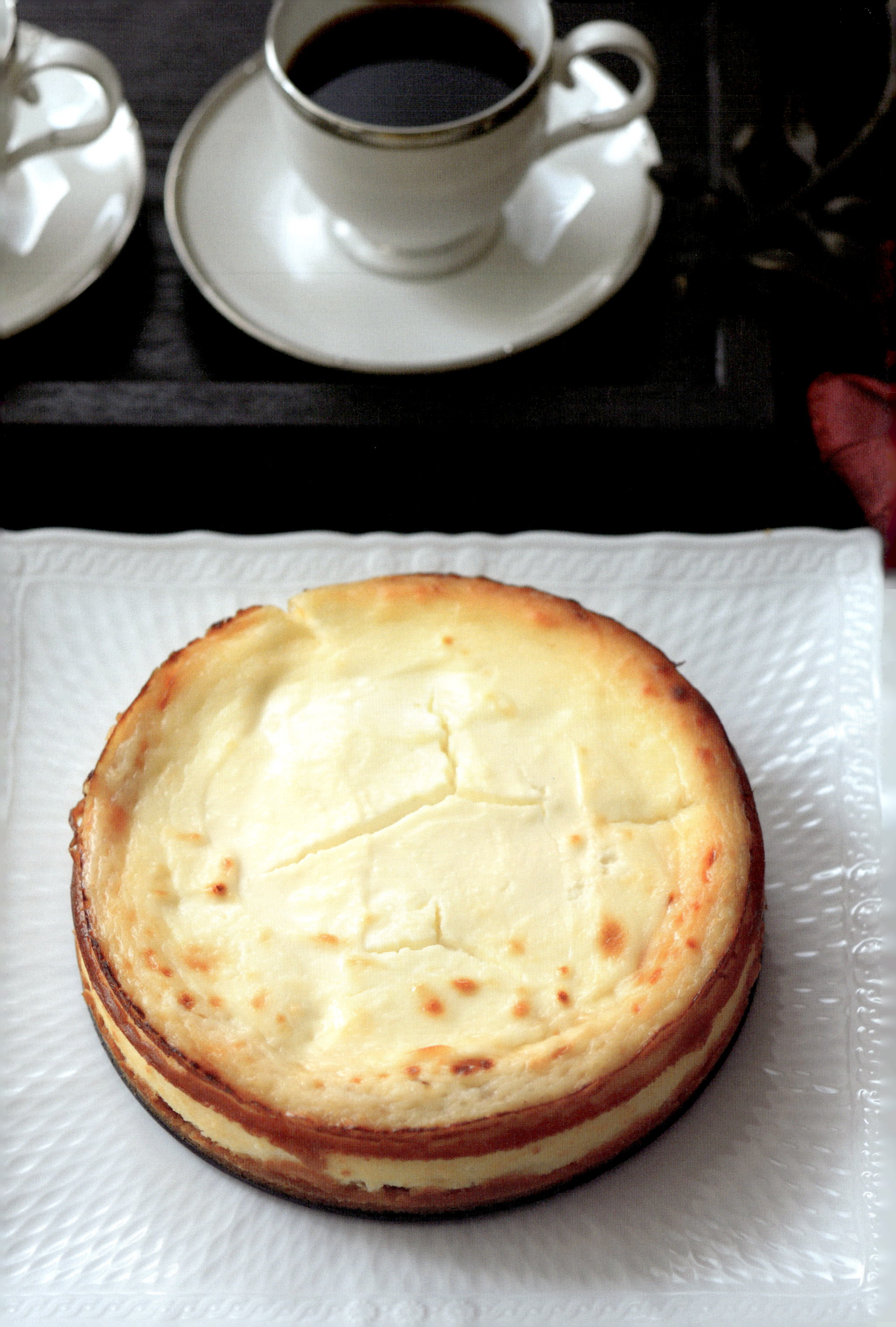

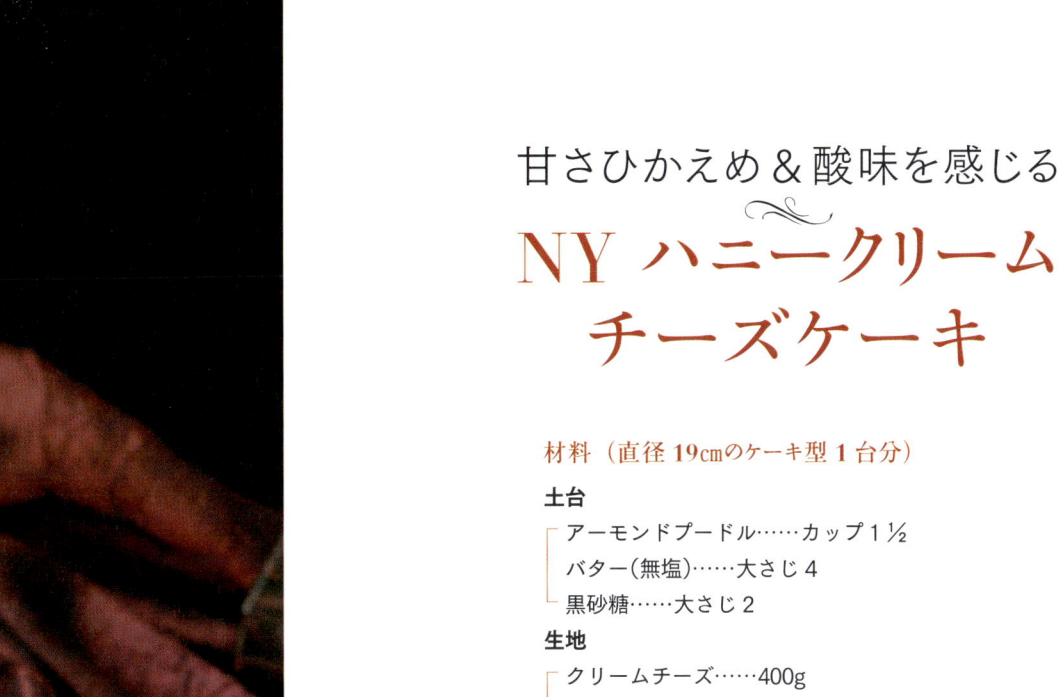

## 甘さひかえめ＆酸味を感じる
## NY ハニークリームチーズケーキ

### 材料（直径19cmのケーキ型1台分）
**土台**
- アーモンドプードル……カップ1½
- バター（無塩）……大さじ4
- 黒砂糖……大さじ2

**生地**
- クリームチーズ……400g
- 卵白……3個分
- グラニュー糖……120g
- バニラエッセンス……5滴

**A**
- はちみつ……大さじ1
- バニラエッセンス……数滴
- サワークリーム……270g

### 作り方

1　バターは耐熱容器に入れ、電子レンジに1分かけて溶かす。クリームチーズは室温に戻す。オーブンは180℃に温める。

2　土台を作る。ボウルにアーモンドプードルと黒砂糖を入れ、混ぜ合わせる。1のバターを加え、よく混ぜ合わせ、ケーキ型の底に均等に敷き詰める。

3　生地を作る。鍋にクリームチーズを入れ弱火にかける。木べらで混ぜ、やわらかくなったら火から下ろす。

4　ボウルに卵白とグラニュー糖を入れ、泡立て器で角が立つまでしっかりと泡立てる。

5　3に4とバニラエッセンス5滴を加え、よく混ぜる。

6　2の土台に5を流し入れ、オーブンで約20分焼く。

7　別のボウルにAを入れ、よく混ぜ合わせる。

8　6が焼き上がったら、一度取り出し、7をケーキ型の中央にのせる。オーブンの温度を230℃に上げ、5分焼く。

9　よく冷ましたあと冷蔵庫に入れ、3時間以上冷やす。

> サワークリームも使って、酸味の強い仕上がりに。生地もアーモンドプードルなので香ばしく、ワインにも合う大人向きのチーズケーキです

## column 3

# これがNY流の心遣い
# 翌朝の朝食をプレゼント！

パーティーの終了は大体22時。だから私はよく、
「明日の朝、食べてね！」と帰り際に、手作りのマフィンやグラノーラをお渡しします。
楽しかったパーティーの余韻を翌日も楽しんでもらうテクニックです。

バター不使用＆レモンの
香りのあっさり味

## レモンオイルマフィン

材料（約10個分）
薄力粉、グラニュー糖……各100g
ベーキングパウダー……小さじ1
塩……小さじ¼
卵……2個
ギリシャヨーグルト……大さじ2
レモンオイル……60cc
レモンの皮のすりおろし……小さじ2

※レモンオイルについては
45ページ参照。

作り方
1　マフィン型の内側にレモンオイル（分量外）を塗る。オーブンは180℃に温める。
2　ボウルに薄力粉、ベーキングパウダー、塩を入れ、混ぜ合わせる。
3　別のボウルにグラニュー糖と卵を入れ、泡立て器で白っぽくなるまで泡立てる。ヨーグルトを加え、さっと混ぜ、レモンオイルを加えてなじむまで混ぜる。
4　3に2を加えて最初はゆっくり、徐々にスピードを上げて粉っぽさがなくなるまで混ぜる。
5　4にレモンの皮のすりおろしを加え、マフィン型の深さの⅔ほど流し入れ、オーブンで約20分焼く。中央に竹串を刺し、生地がつかなければ完成。

## NYの手土産事情
～ゲストからホストへ～

NYのパーティーは、ホストが料理からデザートまですべてを用意しています。だから、日本では定番手土産の食べ物やデザートよりも、疲れたホストをねぎらうプレゼントが喜ばれます。いい香りのキャンドルやハンドクリーム、また、保存がきくお菓子やリキュールも人気ですよ。

溶かしバターがきいた、
コクのある食べ応え
# グラノーラ

材料（4カップ分）
オーツ麦……カップ3
黒砂糖、砕いたアーモンド……各カップ½
溶かしバター……大さじ3
バニラエッセンス……5滴

作り方
1　オーブンは180℃に温める。
2　大きなボウルに材料をすべて入れ、よく混ぜ合わせる。
3　天パンにオーブンシートを敷き、**2**をならして広げ、15分焼く。一度全体を混ぜ、さらに15分焼く。
4　粗熱が取れたら、瓶などに入れる。

**Hideko's アドバイス**
牛乳よりも豆乳やアーモンドミルクをかけてあっさりいただくのがおすすめです。

アーモンドプードル入りだから、
香ばしい焼き上がり！
# パンケーキミックス

材料（200g分）
薄力粉、アーモンドプードル……各80g
グラニュー糖……40g
コーンスターチ……大さじ1
ベーキングパウダー……小さじ2
塩……少々

作り方
1　ボウルに材料をすべて入れ、よく混ぜ合わせる。
2　瓶などに入れる。

**Hideko's アドバイス**
このパンケーキミックスに牛乳150cc、卵1個、リコッタチーズ大さじ1を混ぜて焼くと、クリーミーでふわふわな絶品パンケーキになります！

せっかくパーティーを開くのだから、当日、ゲストだけじゃなく自分も楽しみたいと思いませんか？　でもそのためには、メニュー決めや下準備を、賢く＆効率よくこなさなければなりません。また、パーティーは非日常の空間。テーブルコーディネートもゲストが歓声を上げるような素敵なものにしたいですよね。いくつものパーティーを成功させてきた私の手順やコツをご紹介します。

*part.5*

準備の仕方からテーブルコーディネートまで

# NY流パーティーの開き方

# シーズン別 おすすめメニュー案

パーティーを開く際、まず決めなければならないのがメニューです。
とはいえ初心者にとっては難しいもの。本書の中の料理＆ドリンク、デザートを
使って、4シーズン使えるメニュー案を作ってみました。

※メニューは少し多めにご紹介しています。カクテル・料理・デザートから好みのものをピックアップしていってくださいね。

---

## Spring 春
### お花見、ひな祭り、卒業、母の日など

NYで春の食材といったら、ハーブです。ハーブは、冬の間眠っていた体の機能を目覚めさせてくれる効果も。そこで新鮮なハーブをたっぷり使った料理をメニュー案に取り込んで。あさりも旬を迎えるので、入れてみました。

**カクテル**　小梅のカクテル (P48)
　　　　　　ローズマリーとオレンジのミモザ (P49)

**料理**　　あさりのディップ (P17)
　　　　　　帆立てのタラゴンクリームソース (P38)
　　　　　　チミチュリソースの焼き肉 (P32)
　　　　　　ライムとコリアンダーの焼き鳥 (P33)
　　　　　　じゃが芋のバジル焼き (P31)

**デザート**　スプリングガーデンタルト (P22)
　　　　　　フラワーレス・チョコレート・トルテ (P23)

---

## Summer 夏
### バーベキュー、納涼パーティー

NYの夏は、湿気はないものの、30℃を超す暑い日も！ すいか、ライム＆レモン、エスニック……さっぱりとしたテイストの料理でまとめてみました。そして、NYの夏といったら"ロゼワインで乾杯"がお約束です。

**カクテル**　ロゼのサングリア (P51)
　　　　　　すいかのマルガリータ (P49)
　　　　　　レモンときゅうりのカクテル (P50)

**料理**　　温製レタスサラダ (P37)
　　　　　　アボカドとえびの冷製スープ (P39)
　　　　　　サーモン・グラブラックス (P15)
　　　　　　ポーチ・ド・サーモン (P14)
　　　　　　コルトン流しゃぶしゃぶサラダ (P16)

**デザート**　レモンスクエアケーキ (P63)
　　　　　　グリルド・ルビーグレープフルーツ (P55)

---

## Autumn 秋
### ハロウィン、サンクスギビングデー、りんご収穫祭

セントラルパークが紅葉に包まれ、NYがいちばん美しくなる季節。秋のイベントといえば、ハロウィンとサンクスギビングデー。このとき必ず使う食材が、クランベリー、かぼちゃ、りんごです。

**カクテル**　クランベリーローヤル (P47)
　　　　　　アップルミューリング (P51)

**料理**　　りんごとブルーチーズのチコリボート (P21)
　　　　　　りんごとゴルゴンゾーラのキッシュ (P36)

**デザート**　丸ごとぶどうのケーキ (P40)
　　　　　　アップルコブラー (P58)
　　　　　　簡単アップルパイ
　　　　　　バタースコッチソースがけ (P56)
　　　　　　栗のパブロバ (P62)
　　　　　　コルトン流ハロウィンパイ (P60)

---

## Winter 冬
### クリスマス、ニューイヤーズイブ、バレンタイン

NYの冬はホリデーシーズン、一年でいちばん華やぐ季節です。テーブルコーディネートも赤やゴールドなどを使い、華やかになりますから、お料理も極上の食材を使い、味わいをゴージャスにします。

**カクテル**　エルダーフラワーブルーム (P48)
　　　　　　レッドホットカモミール (P51)

**料理**　　ブルーチーズのスフレ (P24)
　　　　　　梨とルッコラのサラダ (P19)
　　　　　　豚ヒレ肉のプルーンソースがけ (P30)
　　　　　　ブリスケットの煮込み (P35)

**デザート**　グラス・ショートケーキ (P42)
　　　　　　カモミールのパンナコッタ (P25)
　　　　　　スパイシーチョコレートムース (P59)
　　　　　　NYハニークリームチーズケーキ (P64)

# パーティー当日までのタイムスケジュール

NYのパーティーはホストがすべてを用意するので、大変といえば大変。
でも効率よくやれば、当日、自分だけキッチンにこもりきり、
なんてことにもなりません。そのための手順をお教えします！

## 2日前
### 買い出しをする

前日は下準備だけに集中したいので、食材や花、キャンドルなどの買い物は2日前にすませておきます。メニューを決めた時点で、使う食材を書き出し、同時に買い出しメモも作ります。食材が足りないと前日の下準備の際、作業が中断され、効率が非常に悪くなります。面倒がらず、必ずメモを作りましょう。

このとき、お酒の買い出しもすませます。よく冷えていないお酒なんて、ゲストに失礼ですから、帰宅したらすぐに冷蔵庫へ！

## 前日
### 仕込みをすませる

煮込み料理やスープなどの作りおきできる料理は、前日すべて作ってしまいます。また、マリネが必要なものはつけ込んでおきましょう。私の料理は仕上げにソースをかけるものが多いのですが、ソースも前日に作ってしまい、冷蔵庫に保存しておくと当日の手間がぐっと省けます。パーティー当日は、新鮮さが命のサラダを作ったり、切るだけ、焼くだけ、温めるだけですむようにしましょう。家全体の掃除も、前日にしておきます。

## パーティー2時間前
### テーブルセッティングスタート

仕上げに軽く掃除機をかけ、テーブルセッティングに取りかかります。料理を仕上げてしまったあとにテーブルセッティングをすると、その間に料理が冷めてしまうし、バタバタしがちです。あとは"料理をのせるだけ"の状態にしておくと、落ち着いて調理できます。

## パーティー 15分前
### 着替え

ホストはその日のパーティーを仕切るプロデューサーです。初めて来るゲストでも、「あの人がホストだ！」とひと目でわかるよう、目立つファッションに着替えます（笑）。料理しているときの服は、いくらエプロンをしていても、全体的にしわっぽくなりますし、もしかしたら水ハネやソースハネがついているかもしれません。"直前のお着替え"がNYでは鉄則です！

ホストは、華やかな色と肌見せでパーティーを盛り上げます。

## パーティー 30分前
### カクテルの準備

後からシャンパーニュを注いで割るようなスタイルのカクテルは、並べたグラスにドライフルーツ漬けやリキュールを入れておきましょう。こうしておけば、たとえまだあなたが準備に追われていても、ゲストは自分たちでカクテルを作り、カクテルタイムを楽しむことができます。NYでは自分でお酒を作るのもパーティーのエンターテインメントの一つです。

## パーティー 1時間前
### 料理の仕上げに取りかかります

料理の仕上げは、何から始めても構いませんが、サラダだけはなるべく最後に仕上げるようにします。そしてこのとき注意したいのが"後片付け"。使い終わったそばからどんどん片付けていかないと、パーティー開始のころにはキッチンがぐちゃぐちゃ。キッチンもゲストの目につく場所です。清潔を保つようにしましょう。

### 準備がさほどいらないカクテルパーティーはいかが?

NYではカクテルタイムからディナーまでフルに楽しむ「ディナーパーティー」のほか、18～19時の「カクテルパーティー」があります。これは、「うちでカクテルだけ楽しみ、夕食は外に食べに行きましょう」という気軽なスタイルのパーティー。数種類のカクテルとフィンガーフードだけ用意すればいいので、日本でもぜひまねしてみてくださいね！

# コルトン流 基本の
# テーブルコーディネート

私のテーブルコーディネートの基本色は、黒・白・シルバー。
色はNYらしくシャープにし、お皿やランチョンマットは
華やかなものを使い、エレガントさをプラスしています。

## point.1 黒をきかせて

白と銀のアイテムでまとめた中に、黒をポイントで使うと、とてもいいアクセントになります。私はグラスとランチョンマットだけに黒を使用。また、黒いアイテムは、シンプルなデザインよりもデコラティブなデザインのものを使うと華やかさとエレガントさが加わります。
このグラスは、イタリアの「マリオルカ」のもので、とても気に入っています。アクリル素材なので、割れにくいんですよ。

※黒のマット、「マリオルカ」のグラスは
www.coltonsnewyork.com で購入可。

## point.2 布ナプキンは簡単な折り方しかしません

バーベキューなどのカジュアルなパーティーだったら紙ナプキンでOKですが、ディナーパーティーのときはやはり布ナプキンがお約束。さまざまなナプキンの折り方がありますが、私は写真のように、たたんだときの幅が4〜5cmになるように折るだけ。もしくはシンプルな長方形に折ります。でも、こんな単純な折り方でも、ナプキンリングをつければ、スタイリッシュになりますよね。

## point.3 お皿はダブル、トリプルソーサーに

おもてなしでは、日常からかけ離れた"スペシャルな空間"も楽しんでいただきたいと思っています。だからお皿も2枚重ねや3枚重ねにして、華やかにコーディネートします。愛用しているお皿は、「ノリタケカンパニーリミテド」の『シェールブラン』と『ロシェルプラチナ』。『ロシェルプラチナ』は銀のふち取りがエレガントなのですが、主張しすぎないので、どんな料理、どんなテーブルコーディネートにも合うんです。日本でも購入可能。

## point.4 キャンドルは欠かせません

NYに限らず、海外では"自宅はくつろぎの場所"と考えられているため、明かりは暗めの白熱灯。だからキャンドルを使うとちょうどいい明るさと華やかさになるんです。それに、やはりキャンドルの明かりはロマンティックで、テーブルにインパクトを与えてくれます。照明は明るすぎるので、キャンドルを使う際、メインライトは必ず消し、間接照明だけにしてから灯してくださいね。

## コルトン流
# 春夏秋冬のテーブルコーディネート

（ ハッピーイースター ）

キリスト教の行事で、毎年3〜4月に、このテーマのパーティーを開きます。シックなネイビーのテーブルクロスをメインに、ピンクをポイントカラーにきかせ、大人っぽく。

（ 花咲き乱れる5月 ）

NYでは、「4月は雨、5月は花の季節」といわれているんですね。これは5月になり、花が咲き乱れるころに開くパーティーで、春の色である"黄色"をアクセントカラーに。

（ フラワー ）

春は、「花」をテーマにしたパーティーをよく開きます。テーブルの中央に思いきりカラフルなチューリップを飾って。ランチョンマットを見せたいので、ガラスのお皿を置きます。

（ ガーデン ）

NYの春の食材といえばハーブ。その中でも代表的なラベンダーの鉢植えをテーブルのセンターラインに置き、"春のガーデン"を演出してみました。

春

素敵なテーブルコーディネートは、パーティーの空間をスペシャルにし、
料理をさらにおいしく感じさせてくれる力があります！
だから私は、"テーマに沿ったテーブル作り" も大切にしているんです。

（ ベジタリアン ）

ニューヨーク州で採れた野菜やフルーツを楽しむパーティー。茶色いテーブルクロスで土を表現し、多肉植物を土から生える野菜に見立てて、テーブル上に "農園" を作りました。

（ ティファニーで朝食を ）

NYといえば、高級宝飾店「ティファニー」を連想する女性も多いのでは？　これは映画『ティファニーで朝食を』をテーマに開いた、女子限定の朝食会のコーディネートです。

（ 夏の海辺 ）

カトラリーレストはヒトデ、ブルーのナプキンには、サンゴを思わせるナプキンリングを。キャンドルも外用ランプを使用することで、海の潮風を感じてもらえるようなテーブルに。

（ メキシカン ）

ランチョンマットもメキシコを連想させるカラーに。そして花ではなくパイナップルを飾って。じつは花より果物のほうが安上がりなうえ、ゲストの目を惹くテーブルになります。

夏

（ 赤ワイン ）　　　　　　　　　（ 豊作の秋 ）

ぶどうの収穫に合わせ、「赤ワインを楽しむ夕べ」を開催。ぶどう畑をイメージしたテーブルを作りました。テーブルに飾ったぶどうは、食後のチーズと一緒にいただきます。

紅葉に彩られる秋のNY。テーブルの上にも色づいたかぼちゃややとうもろこしを飾ります。もちろんお料理は"NYの秋の味覚"であるかぼちゃやりんごを使ったメニューを出します。

（ ハロウィン ）　　　　　　　　（ サンクスギビングデー ）

秋

ありがちなハロウィンカラーではなく、黒をアクセントにきかせた「大人のハロウィン」。テーブル中央には、私が作った羽飾りを飾って。飲み物は赤ワインでさし色にします。

11月の一大イベント「サンクスギビングデー（感謝祭）」。七面鳥の丸焼きを食べるのが伝統なので、七面鳥が描かれたお皿を使用。枝つき芽キャベツを花の代わりに飾りました。

（ 大人クリスマス ）

（ レッドクリスマス ）

ゴールドと黒のコントラストが美しい、クリスマスのテーブル。お皿の上に載せたオーナメントにはメッセージを書き、この日の夜の楽しい思い出としてお持ち帰りいただきます。

こちらは同じクリスマスでも赤を基調にコーディネート。もちろん、飲み物や料理もクランベリーや赤ワインを使って"赤"で統一し、ホリデームードを高めます。

（ ハッピーバレンタインデー ）

（ レッドカーペット ）

ピンクに黒を合わせることで、甘すぎない"大人のバレンタインデー"に。ワイングラスもクリアなガラスのものだけでなく、黒いアクリル素材のものも合わせ使いします。

毎年2月ごろにハリウッドで開催される、映画の祭典"アカデミー賞"。そんな季節によく開くのが、ノミネートされた映画にちなんだ料理でもてなす、グラマラスな女子会です。

冬

# おわりに

この本を手にとってくださった皆さまは、きっとホームパーティーに興味があり、
機会があれば「私もちょっと素敵なホームパーティーをしてみたいな」
と思っていらっしゃる方だと思います。
自宅で開くパーティーは、レストランで食事をするのとはまた違った、
非常にスペシャルなものです。
もしあなたがゲストだとして、呼ばれたお宅の空間が、
ホストのセンスでとびっきり素敵な世界に包まれていたら？
そしてカクテルに始まり、お料理からデザートまで、
一貫したテーマやストーリーがあったとしたら？
それはもう感動の連続ではないでしょうか？
「そんなおもてなしは大変でできない！」と思う方もいらっしゃると思います。
でも私のレシピは日本でも手軽に買える食材を使い、
簡単に作れるのに見た目はゴージャス！
前日に"作りおき"できるものもたくさんあります。
ホームパーティーの"要"はお料理です。
最初のうちは、テーブルコーディネートまで手が回らなくても構いません。
ぜひ、この本に載っているちょっと変わった"NYテイスト"のお料理で、
ゲストにサプライズと喜びを与えてみてください♪

私がパッションを持って続けてきた「NY＊おもてなし料理教室」。
その5年目の節目となる年に、この本を出版することができ、感無量です。
ただ25年もNYに住んでいるため、私の感覚はすでに"アメリカ人"。
アメリカと日本では、計量の基本単位も違います
（日本はグラムですが、アメリカはオンスです）。
計量し直したり、日本の食材に合わせたり、と
初めての本作りは想像以上に大変でした。

講談社の相場さんと篠原さんをはじめ、編集・ライターの児玉さん、
カメラマンの青砥さん、デザイナーの若井さんに
心から感謝の気持ちを表したいと思います。本当にどうもありがとうございました！
もう言葉が見つからないぐらい感謝の気持ちでいっぱいです。

そして最後に。
いつも優しく私をサポートして見守ってくれている夫・ジョナサンと息子・大河に
心から感謝の気持ちを込めて、この本を捧げたいと思います。
私が愛情たっぷりの料理が作れるのもこの家族がいるから……。

To my dearest husband Jonathan and our beautiful son Taiga,
Thank you so much for your continued support and endless love!
Because of you, I can make delicious food with LOVE!

皆さまのキッチンのチアリーダーのごとく、
ホームパーティーがもっと楽しくエレガントにできるよう、エールをおくります！

この本を手にとってくださった皆さまに愛を込めて

xoxo, Hideko Colton

## ひでこ・コルトン
### HIDEKO COLTON

料理家・
COLTONS NEWYORK（コルトンズニューヨーク）
代表取締役

1964年生まれ。大学を卒業後、外資系証券会社「モルガン・スタンレー」を経て、国際結婚を機に1990年に渡米。以来NYで生活を送る。
1946年創設・"世界一の料理大学"といわれる、「カリナリー・インスティテュート・オブ・アメリカ」で料理の基礎を学ぶ。2010年より「NY＊おもてなし料理教室」を主宰。NYならではの調理法や日本の料理とは違う食材合わせ、華やかなテーブルコーディネートが話題を呼び、現地の駐在員夫人はもとより、日本、香港、イタリア、フランス、イギリスなどからも受講生たちが集まる。現在、生徒数は1000名を超える。
2012年より米国フジテレビの料理コーナー「いま旬クッキング」や「America's ★ Kitchen」にレギュラー出演中。プライベートでは、NY生まれ＆NY育ちのアメリカ人の夫がいて、11歳の男の子のママでもある。

公式ホームページ
http://www.coltonsnewyork.com
公式Facebook
https://www.facebook.com/hideko.colton
ブログ
http://ameblo.jp/coltonsnewyork
インスタグラム
https://instagram.com/hidekocolton/

---

調理・スタイリング
ひでこ・コルトン

デザイン
若井裕美

撮影
青砥茂樹

構成・編集
児玉響子（Koach & Wong）

調理アシスタント
吉村幸子、益田博美、実原千秋、
中村まゆみ、清原真里、田中結子

制作協力
ミーレ・センター表参道
東京都港区南青山4-23-8　☎0120-310-724

**Miele**
IMMER BESSER

㈱ノリタケカンパニーリミテド

㈱フジイ

ザリーンジャパン㈱

講談社のお料理BOOK
「新鮮！こんなの初めて！」
NY（ニューヨーク）のおもてなしレシピ

著者　ひでこ・コルトン
©Hideko Colton 2015,Printed in Japan

2015年12月7日　第1刷発行

発行者　鈴木　哲
発行所　株式会社　講談社
〒112-8001
東京都文京区音羽2-12-21
編集／03(5395)3527
販売／03(5395)3625
業務／03(5395)3615
印刷所　凸版印刷株式会社
製本所　株式会社若林製本工場

●落丁本・乱丁本は、購入書店名を明記のうえ、小社業務あてにお送りください。送料小社負担にてお取り替えいたします。なお、この本の内容についてのお問い合わせは、生活実用出版部　第一あてにお願いいたします。
本書のコピー、スキャン、デジタル化等の無断複製は著作権法上での例外を除き禁じられています。本書を代行業者等の第三者に依頼してスキャンやデジタル化することは、たとえ個人や家庭内の利用でも著作権法違反です。
●定価はカバーに表示してあります。
ISBN978-4-06-299662-4